우리영화

Our Movie

한가은, 강경민 대본집

차례

7부
5

8부
63

9부
122

10부
180

11부
234

12부
291

작가 코멘터리
347

우리영화를 완성한 말들
작가 Pick 명대사
357

〈하얀 사랑〉 시나리오
394

Episode 7

대망의 첫 촬영을 시작하는 제하와 다음.
제하는 다음의 곁을 맴도는 은호가 신경 쓰인다.

#1. 규원의 서점. 안. 낮.

영화 〈하얀 사랑〉 속 한 장면. 영화 특유의 화면비와 질감이
느껴지고.
자신의 앞에 선 현상이 미운 듯 눈에 눈물이 고인 채로
쳐다보고 있는 규원(다음).
그런 규원에게 현상이 보온병에 든 따뜻한 물을 따라준다.
도시락에는 현상이 만든 것 같은 조악한 모양새의
유부초밥들이 담겨 있고.

> 규원(다음) 왜 그렇게 아니라고 우겨요?
> 현상(정우) 내가 잘못했으니까 한입만 먹어요.
> 규원(다음) (손에 쥔 따뜻한 물을 보면서)이게 뭔지
>   궁금해요? 자기 자신이 제일 잘 알아요.
>   온몸의 세포가 알아요. 그게 사랑이라는 걸.

규원의 말에 바로 대답 못 하고… 그녀의 손에 쥐여주려던
젓가락을 도로 내려놓는 현상. 정우가 아닌, 제하의
모습이다.

> 현상(제하) 아니요. 난 모르겠어요. 내 안에서 뭔가가
>   시작됐는데… 그걸 사랑이라고 불러도
>   될지. 내가 그럴 자격이 있는 사람인지…

#2. 제하의 오피스텔. 밤

6

화면비와 질감이 일상으로 돌아오고,
소파에 기댄 채로 스탠드 조명 밑에서 콘티를 보고 있다.
1씬의 규원과 현상의 동선이 연상되는 그림들이 콘티에
그려져 있고,

콘티 한편에 포스트잇 한 장이 붙어있다.

INS. 5부 71씬 다음이 건넨 메모 포스트잇
'이게 사랑인지 아닌지 궁금해요?
그건 자기 자신이 제일 잘 알아요.
온몸의 세포가 알아요. 그게 사랑이라는 걸'

다음의 메모를 한참 보는 제하의 모습.

– 타이틀, 〈우리영화〉 –

#3. 호프집 화장실 앞. 밤.
6부 58씬 이어서.

서영   진짜야? 너 죽는다는 거.
다음   !

그 말에 눈동자가 흔들리는 다음.
한 발짝 더 다가서며,

서영   진짜냐고 묻잖아. 너 정말 죽어?
다음   …!

다음, 서영 뒤 은호에게 시선이 돌아가고,
다음의 시선을 눈치챈 서영, 돌아본다.   7
서영, 뒤에 있는 은호와 눈이 마주친다.

다음   (몸에 힘이 들어가고) 네. 금방 죽어요. 오래

걸리진 않을 거예요.

서영   (은호 보고 웃고) 배우들은 원래 이러고
          놀아요. 잘 외웠네. 이렇게 툭 치면 대사가
          바로 나와야지.

다음   자다가도 나올 수 있도록 열심히 외웠거든요.

은호   (눈치 보다) 어후… 놀래라. (전화벨이
          울리고, 전화 받는) 안 도망갔어요. 잠깐
          화장실요.

서영   (다음의 어깨를 짚고 가까이 붙어서)
          눈동자가 너무 흔들리잖아. 티 나게.

힘이 들어갔던 눈빛이 흔들리는 다음. 서영은 나지막이
읊조리고선 테이블로 돌아가는.
다음, 맥이 풀린 듯 휘청하자 은호가 다음을 잡아주고.

은호   왜 그래. 혹시 술 마셨어?

다음   …아니. (어깨에서 은호 손 떼어내고)

은호   나도 안 마셨어. 아까 보니까 네 매니저님 술
          드시던데… 집엔 어떻게 가?

다음   택시 타고 가려구.

은호   같이 가. 내가 데려다 줄게.

다음   괜찮아. 나 혼자 갈 수 있어. 내가 어디 사는
          줄 알고.

은호   멀리 살았으면 좋겠다.

다음   응?

은호   (싱긋) 아냐. 아무것도.

다음   (무언가 불편하다)

8

#4. 호프집 앞 흡연구역. 밖. 밤.

6부 57씬에 이어서. 묘하게 웃으며 쳐다보는 승원을 바라보던
제하.

승원   둘이 좋아하는 거야? 아님, 안 그래도
       진부한 영화에 진부한 스캔들까지 엮으려는
       거냐?

제하   …

승원   (표정 확 바뀌며) 근데 말이야… 난 그
       진부한 것들이 결국엔 통하는 것 같아.
       정인 감독네 손익분기점 애진작에 넘기고
       흥행했더라? 지저분한 추문에 쫄딱 망하는
       거 아니냐 말 많았잖아. 근데, 웬걸? 그것도
       요즘엔 방법이더라고.

제하   (쳐다보고) 그런 걸 원하는 거였음 박감독을
       골랐어야지.

승원   (O.L) 기사 내려고 보니까, 유독 너랑
       이다음이랑 붙어있는 투 샷이 즐비하더라고.
       (뒤쪽을 가리키며) 아까도 그렇고.

제하   그럼 감독이 배우랑 붙어있지 떨어져서 영화
       만드나?

이때, 가게 안에서 서영과 정우가 나온다. 승원의 표정이
사교성 있게 싹 바뀌며,

9

승원   가려구요?

정우   네. 저흰 이만.

승원   둘이… 같은 방향?

Episode 7

서영	(제하를 보고) 아뇨. 다른 방향인데, 같이 가려구요.
제하	(가볍게 고개 숙여 인사하고)
서영	감독님.
제하	네.
서영	곧 봐요. 연락할게요.
정우	(긁히고, 제하 노려보고)
제하	네.

서영, 정우와 가고. 곧바로 다음과 은호가 상가 입구에서
나온다.

승원	어라?
제하	(놀라고)
다음	아, (은호와 살짝 떨어지고) 학교 선후배 사이예요. (꾸벅, 인사하고) 먼저 가보겠습니다.
은호	촬영 때 뵙겠습니다.
제하	이다음 씨.
다음	네?
제하	어디 가요?
다음	…집에 가죠.
제하	(다음과 은호를 번갈아보고) 준병이는요?
다음	술 드셨어요. 제가 택시 타고 가겠다고 드시라고 했거든요.
제하	(인상 쓰고) 아니, 그게 무슨.
은호	감독님! 걱정 마세요. 제가 데려다 줄 거예요. 안전하게!

10

승원   (묘하게 웃고) 그래요. 잘 데려다 주세요.

다음, 망설이는데, 은호가 가자고 재촉하고.
힐끗 뒤돌아 제하를 보고 걷는 승원, 웃음을 감출 수 없고,

승원   (제하의 어깨를 툭툭 치고 가게로 들어가는)
         아, 외롭다.

#5. 호프집 앞. 야외 주차장. 밖. 밤.
핸드폰을 들고 대리기사를 기다리고 있는 준병과 제하.
준병은 살짝 비틀.

제하   (화가 나고) 매니저가 술을 마시냐?
준병   나는 안 마신다고 안 마신다고~ 해도 자꾸
         다음이가...
제하   매니저를 할 거면 똑바로 해야 될 거 아냐.
         이 밤에. 이다음 어떻게 가라고. 어?
준병   그... 촬영팀 스태프. 다음이랑 친한 사이라
         같이 갔다며. 그리고 언제는 매니저 가짜로
         하라더니. 아, 진짜, 형~ 어느 장단에 맞춰줘?
제하   됐다. 기사님 오면 조용히 들어가라.

제하, 자신의 차로 걸어가는데, 뭔지 모를 짜증이 올라오고.

#6. 도로 일각. 밤.   11
택시가 다음과 은호 앞에 서고.

다음   나 혼자 갈게. 고마워.

Episode 7

은호	너무 선 긋는다.
다음	(타려고 차 문 잡으려다) 미안해. 선배도 조심히 들어가고.
은호	전화해도 돼?
다음	아니. 그냥 현장에서 만나자.

다음, 은호를 보지 않고 차에 탄다. 출발하는 택시. 섭섭한 표정의 은호.

#7. 택시 안. 밤.
다음, 창문 열어 한강 야경을 본다.

INS. 7부 3씬.

서영 **눈동자가 너무 흔들리잖아. 티 나게.**

서영이… 뭔가를 알고 있나? 다음의 얼굴에 불안감이 스치고.

택시기사	손님이 마지막이에요.
다음	아, 이제 들어가시나 봐요.
택시기사	아니 이 택시 진짜 마지막 손님.
다음	!?
택시기사	관둬요 오늘로. 지겨운 서울 한복판 매일 똑같은 길, 차 막혀서 속이 터질 것 같다가도 옆에 불빛 반짝반짝하는 거 보면 맨날 천날 보는 건데 두 볼 때마다 좋아서… 에이고, 지금까지 했네~
다음	(한강 보고) 그럼… 이제 뭐하세요?

12

택시기사	모르죠. 인생 모르는 거니까.
다음	(시선 바깥으로 돌리며) 부러워요. 기사님.
택시기사	저 불빛마냥 반짝반짝한 청춘이 부럽지, 그 밑에 시커먼 강물마냥 거무죽죽한 다 늙은 노인네가 뭐, 부러울 것도 많네…

다음, 말없이 창밖 야경을 지켜본다.

#8. 달리는 제하의 차. 밤.

서울 야경을 배경으로 달리는 제하의 차.
뭔지 모를 답답함에 길옆에 주차를 하고, 운전석에 몸을 기댄다.
문자로 다음에게 **[잘 들어갔]** 치다가 마는. 그렇게 흘러가는 두 사람의 시간…

#9. 교영의 집. (다음날)

교영, 헤어롤 만 채 출근 준비하고 있고, 다음 멍하게 누워 천장만 바라보고 있다가,

다음	나, 어제… 은호 선배 만났다.
교영	(화장하다 말고 깜짝) 정은호? 니 첫사랑? 어디서?
다음	우리 영화 촬영팀에서 잠시 일한대…
교영	촬영?! 촬영만 하기엔 아까운 얼굴인데… (급) 잠깐, 잠깐. 그러니까… 5년 만에 첫사랑을 만났다…는 건데! (가까이 붙으며) 뭐야, 그럼 너 첫사랑이랑 같이 일하게 되는 거야?
다음	(슬쩍 떨어지며) 예전엔… 은호 선배 다시

13

	만나면 어떤 마음일까 궁금한 적이 있거든?
교영	(흥미진진) 그런데?
다음	그냥… 반갑고. 신기하고. 그게 끝.
교영	그게 끝? 첫사랑인데?
다음	그러니까.
교영	진짜 요만큼도 없이 끝?
다음	그렇다니까.
교영	(혼잣말인 듯 골똘) 첫사랑을 만났는데 아무런 감정이 없다는 건… 그 사람 때문 아닐까?
다음	…?
교영	왜, 저번에 네가 눈물 날 만큼 서운했다던 그 사람.
다음	(!) …그거 나 아니라니까.
교영	잠깐. 그럼! 첫사랑이랑 그 사람이랑 일을 같이 하는…?
다음	곽교영. 회사 안 가니?
교영	(의미심장하게 다음을 보며 생긋 웃고) 네네. 갑니다. 가.

다음, 손 흔들며 나가는 교영의 모습을 보고,
전화기를 들어 **[이제하 감독님]** 번호 띄워서 보기만 한다.

INS. **6부 54씬.**

14	서영	**인간 이제하는 어떻게 생각해요? 끝을 알면서도 사랑할 수 있어요?**

다음, 대답을 듣는 게 무섭지만, 또 궁금해서 미치겠다.

#10. 제작사 회의실. 안. 낮.

연출부, 제작부 회의. 제하, 뭔가 집중하지 못하는 모습으로 핸드폰만 만지작거린다.

유홍이 제하에게 타임 테이블 건네는데도, 받지 않자.

유홍	(제하 앞에 손 휘휘) 감독님!!!
제하	어… 어?
유홍	술이 덜 깨…? 셨을 리가 없죠. 애초에 안 드셨으니까.
제하	(괜히) 응.
유홍	…스케줄표 최종 확인만 해주시면
제하	(스케줄표 넘겨보다) 아… 안 그래도 말하려고 했는데, 이다음 씨 촬영분을 조금만 더 몰아줄 수 있을까, 촬영 회차를 며칠만 더 줄였으면 좋겠는데…
승원	(의미심장한 눈빛으로 제하 본다)
유홍	여기서… 더요? 여기서 더 몰면 다른 배우들보다 한 달은 일찍 끝날 텐데… 이렇게까지 몰아서 하면 다른 배우들이 불만을 가지지 않을까요? 다들 이다음 씨보다… (말을 흐리고)
제하	… 신인이다 보니 집중력을 유지시켜주고 싶어.
승원	(제하 빤히 쳐다보다 바로 이어서) 물론 욕먹을 짓이긴 한데, 나도 이거 동의해. 검증 안 된 신인배우잖아. 해보다가 정 안 될 거 같으면 교체도 생각해야 하니, 빨리 판단할 수 있게 몰아주자고.

15

Episode 7

유홍	(발끈) 대표님, 그렇게 불길한 소리를 아무렇지 않게 하시면 안 되죠.
승원	훌륭한 제작자는 수백 가지 경우의 수를 대비합니다, 조감독님.
제하	(승원을 묘하게 보고) 대표님 말씀이 맞아. 그럼 그렇게 정리해서 마무리하시죠. 정 협의가 안 되는 사람 있으면 얘기해. 내가 해결할 테니까. 이제, 마무리할까요?
승원	(기지개 켜고) 그럽시다~ 아, 이감독은 나 좀 잠깐 봐.
유홍	(작게 중얼) 와, 진짜 냉정한 분들이시네.

스태프들, 자리 정리하며 일어나고.

승원	첫날에 한상무가 와 있을 거야.
제하	왜?
승원	왜겠냐? 이. 다. 음.
제하	테스트 촬영으로 해결된 거 아니었어?
승원	세상 일이 어디 그렇게 쉽나. 나도 말렸지. 그런데 이유가 기가 막혀. 심심하시고 궁금하시댄다.
제하	하아...
승원	우리 내어줄 건 내어주고, 취할 건 취하자. 감독님아. 그 젊은 놈이 와 봤자 뭘 하겠냐. 내가 붙어서 잘 케어할 테니 표정 관리나 잘 해.

16

승원, 제하의 어깨를 툭툭 치고 간다. 제하, 씁쓸한 표정.

핸드폰에 다음의 번호를 띄우지만 전화 걸지 못하는데, 그때 다음에게 문자 온다.

[감독님. 할 말 있어요. 시간 좀 내주세요.]

#11. 촬영감독 철민의 사무실. 안. 낮.

장비 테스트 및 점검을 하고 있는 분주한 철민과 은호, 촬영팀.

> 철민   (아이패드 만지다가) 오늘은 좀 일찍 끝내고
>   다 같이 저녁이나…
> 은호   (말 자르고) 죄송하지만! 저는 선약이 있을
>   예정이라서, 봐주세요!
> 철민   선약이 있으면 있지. 있을 예정인 건 또 뭐야.
> 은호   (핸드폰으로 문자 치며 웃는) 저희 빨리 빨리
>   정리하시죠.

#12. 고대표 사옥 복도. 낮.

서영이 피곤한 표정으로 복도를 걷고 있고, 옆에서 민희가 따라오며 얘기하는.

> 민희   컨디션 괜찮아요 선배님? 오후에 인터뷰
>   그냥 취소할까요?
> 서영   넌 무슨 취소를 그렇게 쉽게 해. 어제 잠을
>   좀 설쳤어, 괜찮아.
> 민희   (혼잣말) 전혀 안 괜찮아 보이는데…

17

대표실 옆에 다다르면 통창으로 고대표가 보이고,
그녀 앞에 마주 앉아 있는 남자, 희태를 발견한다. 굳은
표정으로 바라보는 서영…

민희   저 양반이 여길 왜… 어? 선배님…?!

#13. 고대표 사무실 안. 낮.

고대표   우리 애들로는 영 더뎌서. 전문가 도움이 좀
         필요했거든.

희태   어우 당연히 취재는 기자가 전문이죠.
         맡겨주세요.

고대표   보수는 원하는 형태로 줄게요. 돈이든,
         소스든.

희태   (씨익 웃고) 카드도 됩니…

그때, 들어오는 서영. 뒤따라 민희가 들어오고.

서영   여긴 어쩐 일이세요 기자님?

희태   오, 서영 씨 오랜만이네요.

고대표   (눈 깜짝 않고) 구면이지? 왜 저번에 네가
         회사 사람들 뒤통수 치고 청탁했던 노희태
         기자.

서영   (말을 바로잡으며) 청탁이 아니라 보도
         자료였죠. 지금 분위기는… 청탁 같은데요?

고대표   보도 자료든 청탁이든, 내가 네 허락 맡고
         일해야 하니? (민희 보고) 뭐해, 안 데려가고.

민희   아, 네네… 선배님 일단 나가시죠…

18   민희, 서영을 데리고 나가려는데 테이블 위에 놓인 이다음
     사진(승원이 풀었던)을 본다.
     거침없이 테이블 위로 손을 뻗어 사진을 낚아채 보며

서영	대표님. 이다음 캐고 다녀요? 왜?
고대표	(일어서 사진 빼앗고, 민희에게)
	데려가라니까.
서영	(한참 노려보다) 사람을 얻고 싶다면 이런
	방법은 안 좋다는 거 알 텐데. 패턴이 항상
	똑같다. 대표님은. (나가는)
희태	어우… 분위기 살벌하네요.
고대표	곧 재계약 시점이라 예민해서 그래.
희태	아…! 벌써 그렇게 됐나? (눈치 보며) 그럼
	채서영 씨는…
고대표	(웃으며) 이다음 좀 잘 알아봐줘요. 낱낱이.

#14. 제작사 사옥 로비.

제하, 급하게 엘리베이터 타고 내려오는데, 로비에 다음이
보인다.
반가운 마음에 자기도 모르게 손을 들고, 다음도 괜히
반가운 마음에 손을 드는데, 갑자기 나타나는 은호.

은호	(손을 들며) 어, 이다음! 여기서 보네.
다음	(손을 슥 내리며) 선배가 왜 여기?
은호	아, 계약서 쓰러 왔어. 근데, 너 왜 내 문자
	답장 안 해!

제하, 두 사람을 보며 다가갈까 말까 고민하는데,
은호, 다음의 시선을 따라 시선을 돌려 제하를 본다.   19

은호	(모자 벗고 인사하고) 안녕하세요. 감독님,
	또 뵙네요.

Episode 7

제하	(인사하고) 네. 안녕하세요.
은호	(다음에게) 잘 됐다. 밥 먹자. 시간 돼?
다음	(눈치 보고) 어? 아, 밥.

다음, 제하와 눈이 마주치고, 제하 빠져줘야겠다 싶어
나가려는데,

다음	(크게 부른다) 감독님!
제하	(돌아본다)
다음	같이 밥 먹어요! (은호 보며) 우리 매니저님
	본업이 식당 사장님인데 거기 음식이…
	끝내주거든. 감독님, 우리 다 같이 가요!
	갑시다! 제가 앞장설게요!

다음이 씩씩하게 앞으로 걷고, 두 남자. 어색하고,
떨떠름하게…

#15. 준병의 가게 안. 낮.

늘 앉던 창가 쪽 자리. 다음이 화장실을 다녀와 가방을 들고
자리에 앉는데, 약통 달그락거리는 소리가 들리고, 제하가
다음을 힐끔 본다. 제하와 다음이 서로 마주 보고 있고, 다음의
옆은 은호가 앉아 있다. 마지막 음식을 들고 와 앉는 준병.

| 준병 | 자, 드시죠. |

20

실험정신 가득한 준병의 음식에 은호, 호기심을 보인다.

| 은호 | 와. 이게 보이는 것과 맛이 다른 거죠? |

준병   (핑거스냅) 일가견이 있네. 바로 그거예요.
        맛이 있다는 반전.

이때, 다음과 제하의 폰에서 동시에 알람이 울린다. 각자
다급히 끄고.
어리둥절하고 번갈아보는 은호와 준병.

은호   뭐야. 알람? 감독님하고 같이 울리네?
다음   그러게, 신기하네. (시선 밥으로, 한가득 입에
         넣고)
제하   (안쓰럽게 보다가 물병으로 손을 뻗으려는데)
은호   (먼저 물병을 잡고) 제가 하겠습니다. (제하,
         준병에게 쪼로록 따라 주고, 다음의 컵을
         들어 물을 따라 주며) 다음아, 천천히 먹어.
다음   (켁켁) 배고팠나봐. 천천히 먹을게.
준병   (묘하게 분위기 보다가) 이런 조합은 또
         새롭네요. 둘이 되게 친해 보여요.
은호   (웃고) 아직 어색해요. 이제 천천히
         알아가려구요.
다음   (두 번째 켁켁) 뭘 알아가.
은호   서로를?
제하   선후배 사이가 현장에서 만나는 일. 흔치
         않은데, 서로 도움 많이 주고받았으면
         좋겠네요.
은호   네, (문득 스치는 기억에 젓가락질을 멈추는)   21

INS. **6부 1씬.**
은호   **오디션은, 어떻게 됐어?**

Episode 7

다음	안 갔어. 다음에, 내가 준비가 되면 그때 하고 싶어졌거든.

은호, 조용히 식사하는 다음과 제하를 슬쩍 번갈아 본다.
예전에 다음이 준비했던 영화는 지금 앞에 있는 이제하
감독의 영화였던 걸 기억하는.

은호	그게 이렇게도 되는구나.
다음	(우물거리다) 응? 뭐라고?
은호	(웃고) 아냐.

#16. 준병의 가게 앞 밖. 낮.

문을 열고 나오는 다음과 은호.
창가 너머 식사하던 자리에서 노트북을 보고 있는 제하도
보이고.
다음은 은호를 따라 걸어가면서 제하를 보지만, 제하의
시선은 노트북에만.

#17. 가로수 거리. 낮.

나란히 걷는 다음과 은호. 다음은 딴 생각에 빠져있는
것처럼 땅을 보며 걷고 있고.

은호	내가 갑자기 밥 먹자고 해서 부담…스러웠어?
다음	아냐, 부담은 무슨. 오랜만에 같이 밥 먹어서 좋았어.
은호	(나란히 걷던 은호가 다음의 앞으로 와 뒷걸음) 안 믿겨진다.
다음	뭐가?

22

은호	뭐 한 이주 정도겠지만 우리가 같이 일한다는 게. (멈추고) 그리고, 네가 해냈다는 게.
다음	?
은호	그때, 네가 그랬잖아. 오디션… 준비가 되면 그때 할 거라고. 그리고 지금. 이렇게 해냈잖아. 그것도 같은 감독님 작품에서.
다음	그걸 아직도 기억해?
은호	그럼. 내가 그걸 가장 가까운 곳에서 볼 수 있다는 게. 안 믿겨지네. 너무 좋아서.
다음	(은호를 빤히 보다) 그렇게 말해줘서 고마워.
은호	(다시 걸고) 혹시 다른 일정 없으면,
다음	(멈추고) 미안. 선배. 나 갈 데가 있어서. 잘 들어가.

급하게 가는 다음을 보는 은호. 서운한 표정을 감추지 못한다.

#18. 준병의 가게 안. 낮.

노트북으로 작업 중이던 제하,
문득 다음이 생각나 거리 쪽을 바라보다 다시 작업에
열중하는데…
갑자기 노트북에 그림자가 진다. 보면, 창문 밖에서 제하를
보고 있는 다음.
화들짝 놀라는 제하. 곧바로 빠른 걸음으로 들어와 앞에
앉는 다음.
준병, 주방에서 귀에 이어폰 끼고 설거지에 여념이 없다.

23

다음	(준병 흘끗 보고 조용히) 감독님!

제하	왜 다시 왔어요.
다음	저 좀 봐주시죠.
제하	(다음과 눈 마주치고)
다음	내가 다시 올 거 알았죠?
제하	아뇨. 몰랐는데요.
다음	(머쓱) 그래요? 암튼 뭐, 저 왔습니다. 할 말 있어서.
제하	뭔데요.
다음	(고민하다… 돌직구) 나랑 영화 볼래요?

#19. 아트시네마. 상영관 안.

흑백으로 상영되는, 오래된 영화를 나란히 앉아 보고 있는
다음과 제하.
극장에는 제하와 다음, 오직 두 명의 관객만 앉아 있고…
제하, 몰입했는지 꿈쩍도 않고 영화를 보는 다음의 얼굴을
가만 바라본다.
- 환하게 웃었다가, 입을 다문 채 진지한 눈빛으로 보다가,
  눈에 고인 눈물을 닦아내는.

CUT TO.
엔딩 크레딧이 올라가고 있는. 제하가 일어서려고 하자
붙잡는 다음.

다음	잠시 까먹었으면 했어요.
제하	(?, 앉고) 뭘요?
다음	감독님은 생각도 많고, 계획도 많고, 계산도 하느라 바쁘잖아요. 영화 보는 시간만큼은 여기에 빠져서 그런 거 좀 까먹었으면

24

좋겠다… 싶어서.

제하 (가만 보다) 고마워요. 덕분에 잠깐이나마
까먹었네.

다음 (받아주니 좋아서) 치… (괜히 이마 짚고)
아…

제하 왜요. 어지러워요? 일어날 수 있어요?

다음 (부동자세로 미소) 안 까먹었네.

제하 (어이가 없고) 자꾸 자기를 소재로 웃기려고
하는 경향이 있더라.

다음 (웃다, 다시 엔딩 크레딧을 보며) 내가, 아니
우리가 영화를 완성할 수 있을까요? 이
영화처럼.

제하 완성… 해야죠. (다음 보고) 완성할 거예요.

다음 (곱씹는다) 그럼 그 다음에는요? 완성된
우리 영화는 어떻게 남을까요? (잠시 말을
못 잇다가) …그걸 내가 영영 궁금해할 것
같아서. 감독님한테 미리 물어보고 싶었어요.

제하 (대답을 못하고 말없이 다음을 쳐다본다)

다음 (뭔가 눈물이 날 것 같아 시선을 돌린다)

제하 (잠시 호흡 가다듬고) …모르겠는데요.
어떻게 완성될지, 어떻게 남을지.

다음 영화가 쫄딱 망하고, 감독님이 다시 긴
슬럼프에 빠져있고, 툭 하면 찾아가서
위로랍시고 막 놀리고 싶다.

제하 (진지) 꽤 가능성 높은 얘기예요.   25

다음 아니면… 막 영화제마다 돌아다니며 상을
수없이 받는 거예요. 프랑스에도 가고
미국도 가고. 요새는 세계적으로 나가는 게

추세니까~ 와, 진짜 그랬으면 좋겠네.

제하   …

다음   그거 알아요? 나 비행기 한 번도 못 타본 거?
             (상상하듯) 영화제 참석하러 우리가 같이
             비행기를 타는 거예요. 감독님은 나한테
             비행기 신발 벗고 타는 거라면서 허허
             웃겠지? 그땐 절대 안 웃어줘야지.

제하   (뭔가 마음이 쿡 시리고, 가만 보다) 같이
             확인해요.

다음   네?

제하   우리 영화가 완성되고 어떻게 남을지…
             나도 모르겠으니까… 다음 씨랑 나랑 같이
             확인하자구요.

다음   (눈물이 핑 돌아 괜히 벌떡 일어난다) 오늘은
             여기까지만 질척거려야겠다. 우리 이렇게
             지내요. 이렇게 가끔 까먹고, 자주 웃으면서.
             나 그거면 충분할 것 같아요.

제하   …

다음   다음엔 삼척에서 보겠네요. (일어서고) 먼저
             갈게요. 나오지 마시고!

부리나케 사라지는 다음의 뒷모습을 보다 다시 스크린을
바라보면, 엔딩 크레딧도 끝나고 깜깜한 화면만 스크린에
한가득이다. 꿈꾸는 것도 사치처럼 느끼는 다음이 마음에
걸리는, 그게 아픈 제하.

26

#20. 아트시네마. 낮.
극장을 나오는 제하. 〈하얀 사랑〉 포스터에 적힌 아버지

두영의 이름을 지그시 바라본다.
그리고 그 이름 옆에 쓰인 주연배우… 진여의 이름까지.

다음(E)　　**완성된 우리 영화는 어떻게 남을까요?**

INS. **1부 31씬.**
　　　진여　　　**이 영화에 대해서 잘 모르고 있을 것 같아서…**

빠른 걸음으로 어디론가 향하는 제하…

#21. 진여의 도예 작업실. 안. 낮.
제하, 진여의 작업실 테이블에 세 편의 〈하얀 사랑〉
시나리오들을 올려놓는다.
제본된 두영의 시나리오, 원고지에 쓰인 은애의 초고,
자신이 각색한 시나리오.
말없이 제하와 대본을 보고 있는 진여. 찾아올 거라 예상은
했지만 조금 놀란 듯, 천천히 제하를 바라보고 있는.

　　　제하　　　보시다시피 이름들이 다 달라요. (자신의
　　　　　　　　것을 가리키며) 이건 제가 각색을 했으니
　　　　　　　　당연히 내용도 조금 다르구요.
　　　진여　　　…

제하, 이제는 두영과 은애의 시나리오를 집어 들며, 진여를
쳐다보고.　　　　　　　　　　　　　　　　　　　　　　27

　　　제하　　　그런데 왜, 이 두 개는 이름만 다르고 내용이
　　　　　　　　똑같습니까?

진여	…
제하	말씀해주세요. 저한테 단서를 던지신 이유가 있을 거라 생각합니다.
진여	(생각이 많은 표정)
제하	이제는 알아야겠습니다.
진여	(망설이다) 이두영 감독은 왜 〈하얀 사랑〉을 끝으로 영화를 만들지 않았을까요?
제하	영화가 질렸는지. …알량한 양심의 가책이었는지. 전 알 수가 없죠.
진여	…난 알려진 것처럼 이두영 감독의 내연녀가 아니에요.
제하	?!
진여	그리고, 페르소나도 아니었어요.
제하	…!
진여	지금부터 내가 하는 말. 믿어줄 수 있겠어요?
제하	(분위기가 심상치 않음을 느끼고 진지하게) 말씀… 해주시죠.

진여, 떨리는 손으로 찻잔을 들어 입에 가져가고,
그런 진여를 보는 제하의 모습에서.

#22. 진여의 도예 작업실 앞. 밤.
어느새 해가 져 깜깜해진 하늘.
제하, 충격 받은 모습으로 걸어 나오다, 털썩 주저앉는다.
손에 든 세 편의 〈하얀 사랑〉 시나리오를 한참 바라보다,
은애의 〈하얀 사랑〉을 제일 위로 올리고 한참을 바라본다.
막막함과 결의가 동시에 느껴지는 제하의 표정.
제하 훌훌 털고 일어나, 자신의 차로 가는 모습.

28

#23. 캠코더 몽타주. 강원도 가는 길. 아침.

다른 날. 준병의 밴에 탄 다음이 차창 밖을 찍은 캠코더 속
화면들이 보이고.

– 청량한 하늘과 구름들.
– 터널 속 노래를 부르며 운전하는 준병의 모습. 다음도 함께
  웃고.
– 터널을 빠져나오면, 기분 좋은 햇살과 산세가 반겨주는.
– 톨게이트를 나오면, 바다가 보이고. 캠코더를 내려놓고서
  자신의 눈에 담는 다음.

#24. 도로 위 제하의 차. 안. 낮.

촬영지로 이동 중인 제하의 차. 굳은 표정으로 운전하고
있는 제하.
운전석 쪽 창문을 연 채로 달리다 신호에 걸리고,
때마침 옆 차선에 준병의 밴이 맞닿아 옆으로 서는.
창문이 지이잉 조금 열리더니 그 사이로 캠코더가 나오고.
놀라서 자세히 보면, 다시 지이잉 끝까지 열리는 창문,
캠코더를 들고 제하를 찍고 있는 다음이다.
창문을 끝까지 올리는 제하. 곁눈질로 다음을 확인한다.
다음, 캠코더를 든 채 손을 흔들며 해맑게 아는 체 하는데
제하, 옅은 미소를 보이곤, 출발하는.

#25. 도로 위 준병의 밴. 안. 낮.

제하의 미소가 좋아 따라 웃는 다음.
캠코더 닫고, 창문을 올리는… 준병의 차도 다시 출발하고,   29

준병   이제 십 분쯤 남았어, 다음아. 좀 설렌다,
                그치?

Episode 7

다음	떨려요, 무지. 현장에서는 떨면 안 되는데…
준병	(포장지를 뜯고서 입에 넣고) 배우는 사람 아닌가, 뭐. 떨릴 수도 있지. (뒤로 건네는) 이거 먹을래?

다음 받아들며 앞으로 기대 운전대 옆에 청심환 쓰레기들
보고서 경악.

다음	이게 다 몇 개야. 이걸 다 먹었어요?!
준병	먹다 보니 맛있어가지고, 나 몇 개 먹었지?
다음	하나 두울 셋 넷 네 개나 먹었네. 이게 사탕도 아니구!
준병	어우 떨려. 사실 어젯밤부터 가슴이 막 벌렁벌렁하고…
다음	자 심호흡 해봐요. 들이쉬고 3초 참고, 내쉬고. 아니, 입으로 들이쉬지 말고 코로 마시고 입으로 뱉고.
준병	(따라하고) 후우. 습… 후우…
다음	(그 모습 보고 웃는)

#26. 촬영장 인근 주차장. 밖. 낮.

주차한 뒤 시동을 끄는 제하. 벨트를 풀고, 호흡을
가다듬는다. 창문 밖으로 보이는 건 분주한 탑차, 장비 실어
이동하는 스태프들. 긴장되어 두 손을 쥐었다 폈다… 준비가
됐다. 차 문을 열고 내린다. 발걸음을 옮기려다 주저앉아
운동화 끈을 고쳐 매려 풀고 있는데 그런 제하 위로
그림자가 진다. 올려다보면, 해사하게 웃고 있는 다음이 한
손에 캠코더를 든 채 제하를 내려다보고 있다. 서로 시선이

30

멈추고…

> 다음　　(캠코더 렉 끄고) 오케이. 컷. 감독님의 초
> 　　　　긴장 상태 희귀한 장면을 이렇게 포착하네?
> 　　　　(주머니에서 청심환을 하나 건네주는)
> 제하　　(끈 다 묶고 일어서서, 받는) 뭔데요 이건.
> 다음　　감독님 친구는 이걸 네 개를 드셨어요.
> 　　　　감독님은… 하나면 충분… 아니다.
> 　　　　(주머니에서 하나 더 꺼내주고) 두 개 드세요.
> 제하　　괜찮은데.
> 다음　　운동화 끈도 괜찮던데 왜 고쳐 묶어요.
> 　　　　떨리면서.
> 제하　　(하나 까서 먹는) 맛은 별로네.

제하, 다음 보는데, 캠코더를 쥔 손이 미세하게 떨리고 있다.
청심환을 다음에게 주고. 주머니에서 갖고 있던 타이레놀 한
알을 꺼내 보여주는.

> 다음　　…??
> 제하　　난 이거면 돼요.
> 다음　　네?
> 제하　　엄청 떨렸는데, 이다음 씨 덕분에 약으로
> 　　　　버티게 생겼네. 우리 떨리는 거 서로
> 　　　　들켰으니까. 둘만 알고. 남들한테는 들키지
> 　　　　맙시다.　　　　　　　　　　　　　　31

다음, 심장이 쿵쿵… 설레고.

Episode 7

#27. 촬영현장. 시골병원 인근. 낮.

촬영 장비를 체크하는 은호의 뒤로 누군가 다가오고,
인기척을 느낀 은호가 돌아서자,

재인	회식 자리에선 영 긴가민가했는데, 맞네. 은호 오빠.
은호	아, 재인아. 오랜만이다. 이렇게 다시 보네.
재인	촬영하고 있다는 얘긴 전해 들어서 언젠간 마주칠 거라고 생각했는데. 그게 이다음이 주인공인 현장이 될 줄은 몰랐네.
은호	하하 그러게.
재인	오빠도, 몰랐어요?
은호	뭘?
재인	(옅은 미소로) 아니에요. 다음에 또 얘기해요. 동문 끼리.

재인이 웃으며 돌아서자, 하던 일을 멈추고서 재인의
뒷모습을 의아하게 쳐다보는 은호…

#28. 한국예술대학교 복도. 안. 낮.

한국예술대학교 연극영화과 조교실 앞.
뚜벅뚜벅 누군가 걸어와 노크를 하고 들어간다. 희태다.

조교	(일어서며) 어떻게 오셨어요?
희태	(둘러보며, 사진 한 장 내밀고) 안녕하세요. 뭐 좀 물어볼게요.

32

내민 사진에는 다음, 교영, 재인이 함께 찍혀있다.

#29. 촬영현장 시골병원 인근. 낮.

한상무, 멀찍이서 뚫어지게 제하와 다음을 번갈아 보고 있다.

> 승원   (커피 내밀며) 바쁘실 텐데 와 계셔도 되는
> 거예요?
>
> 한상무   여기 한 60억 투자했는데, 여기서도
> 바빠야죠.
>
> 승원   아… 네…
>
> 한상무   불편하세요? 난 내일까지 있을 건데.
>
> 승원   아우 불편이라뇨… (뒤늦게 놀라고) 네?
> 내일까지요?
>
> 한상무   (의아하게) 안 되나?
>
> 승원   안 될 게 뭐 있나요… 감사… 하죠.
>
> 한상무   감시하는 건 아니니 오해는 마시구요.
> 영화라곤 쥐뿔도 모르는 놈이 영화에
> 투자한다…
>
> 승원   예?
>
> 한상무   … 난 그런 얘기가 듣기 싫더라고. 이제부터
> 좀 알아보려고요.
>
> 승원   아 예예, 그러시죠.

복잡한 표정으로 한상무를 안내하는 승원.

#30. 촬영현장. 시골병원. 낮.

연출부는 뛰어다니느라 바쁘고, 조명팀은 조명을 올리며   33
준비하고 있다. 철민 옆에 은호와 조명감독이 붙어 앵글 속
빛을 함께 확인하고 논의하고 있고. 베드에 앉아 시나리오를
보고 있는 다음. 유홍과 소품 팀이 다가와 다음의 팔에 링거

주사 세팅을 하려고 사진과 비교해 보며 요리조리 대보는데,
능숙하게 주사 위치 잡고 테이프 붙이고, 링거까지 위에
꽂는 다음.

> 유홍　　와… 간호사 출신이세요?
> 다음　　(뜨끔) 아, 어… 가족 중에 아픈 분이 계셔서
> 　　　　잘 알아요.
> 유홍　　(엄지 척) 고맙습니다. (가는)

재인, 간호사 복장을 한 채로 다가오는.

> 재인　　편하겠다. 누워서 연기하는 거. 눈 감고
> 　　　　아픈 것처럼 인상 좀 찌푸리면 네 이름 걸린
> 　　　　영화가 금방 세상에 나오는 거잖아?
> 다음　　네 눈에 내가 어떻게 보일지 모르겠는데…
> 　　　　그게 전부는 아니야.
> 재인　　그렇겠지. 하나하나 알아가자 다음아. 웃어.
> 　　　　지금부터 우리는 세상에서 가장 친한
> 　　　　친구니까. 그래도 한때는 친구 비스무리한
> 　　　　거였잖아 우리.
> 다음　　재인아…
> 재인　　이따 보자.

재인, 쌩하니 가버린다. 촬영 준비를 하던 은호, 그런 다음과
재인을 보고 있었다.
다음, 재인이 간 쪽 보는데, 진미가 다가온다.
진미, 다음을 보며 마지막으로 볼터치 한 번 더 하고.

진미	어휴, 환자 분장하는데 블러셔는 또 처음 해보네. 다음 씨, 너무 창백해서 블러셔를 안 해주면 너무 가짜 같아. (탁탁 하더니 다음 얼굴 뚫어지게 본다)
다음	(괜히 긴장)
진미	(웃으며) 이제 됐다. (거울 보여주고) 어때요? 꾸민 듯 안 꾸민 듯 예쁘게 아프죠? 정말 얼굴 좋아. 이제하 감독 배우 보는 눈 하나는 진짜 인정이네. 첫 촬영, 파이팅!

진미 가면, 다음이 심호흡 한다.
제하가 돌려준 청심환을 보고 혼자만의 작은 파이팅 하는데,
여전히 긴장이 풀리지 않는 모습. 그런 다음에게 제하가
다가온다.

제하	분장 잘 됐네요.
다음	분장실장님이 잘 해주셨어요. (작게 속삭이며) 창백하다는 소리만 덜 하시면, 정말 좋으신 분 같아요.
제하	(듣다가) 이규원 책방, 기억나요?
다음	(눈 감고 아무 말) 네 거기서 제가 일방적으로 고백… (입 틀어막고, 찰싹찰싹) 뭐, 뭐요? 기억? 하죠.
제하	(당황) 아니, 그 얘길 하자는 게 아니고… 규원이는 서점을 집처럼 가꾸고 평생을 살아왔어요 그쵸?
다음	(천천히 눈 뜨고, 제하 보며) …?

35

Episode 7

제하, 여전히 긴장한 다음이 시나리오를 꽉 쥐고 있는 것을
보고, 조심히 손을 갖다 대며 시나리오를 내려놓게 한다.
붙어있는 둘을 멀찍이서 바라보는 은호.

> 제하   규원이는 책을 끔찍이 아끼는 친구고, 그런
>   친구면 시나리오도… 아낄 거예요.

자신의 손을 조심스럽게 감싸는 제하를 따라 서서히 꽉
쥐었던 손아귀에 힘을 푸는 다음.

> 다음   (심호흡)
> 제하   지금처럼 힘 빼고. 상황과 감정만 생각해봐요.
>   할 수 있죠?
> 다음   (옅은 미소로 끄덕이며) 네, 저 한번 해볼게요.

제하, 끄덕이고 뒤돌아서 돌아가며 모니터 옆에서 대기하고
있던 유홍에게 신호 주는.

시골병원 병실 침대에 기대어 앉아 있는 다음, 짧게 심호흡을
하고 주변을 바라본다.
다음이 오랫동안 머물렀던 한국대병원 병실이 보인다. 오랜
시간 머물러 다음의 물건으로 가득 차 있던 병실. (영화
속 환자복을 입은) 다음의 눈에 (현실 속 환자복을 입은)
다음이 침대에 앉아 창밖의 햇살을 부러운 듯 바라보고 있다.
(현재의) 다음이 시선을 돌리자, 병실이 아닌 촬영장. 그리고
자신을 둘러싼 채 펼쳐져 있는 스태프들. 그리고 모니터 뒤에
앉아 있는 제하의 모습. 병실에서 바깥을 동경하던 다음은
이제 이곳, 촬영장에 있다. 가만, 몰입하며 촬영장의 공기를

36

느껴보는 다음.

> 다음   (혼잣말) 들어와 있네. 내가. 영화 속에.

그런 다음을 모니터로 보는 제하…

INS. **2부 56씬.**

> 다음   **아파도 영화도 보고, 오디션도 보고, 사랑도
> 해요. 영화도 찍을 수 있어요. 다 할 수 있다고요.
> 앞으로 보여드리고 싶어요.**

제하 역시, 뭉클한 감정.

> 유홍   다음 씨, 준비 되셨을까요?
> 다음   네! 준비됐습니다.
> 유홍   (병실 바깥에 있는 재인에게) 재인 씨는 타이밍
> 맞춰 프레임 인 해주시고요.
> 재인   네, 준비됐어요.
> 제하   좋습니다. 가볼까요?
> 유홍   이제 진짜로 첫 테이크 한번 가볼게요! 다들
> 발소리 주의해 주시구요! 슛 들어가겠습니다!
> 테이크 원!
> 칠민   카메라 롤!
> 음향팀   오디오 스피드!

37

각각의 큐 사인들, 각자의 자리에 있는 스태프들을 훑어보던
다음.
모두가 자신을 보고 있다. 그 속에서… 제하의 시선을 찾는다.

Episode 7

눈이 마주치자, 다음의 호흡이 금세 안정되고… 집중한다.
카메라 화면 속 다음의 포커스가 흐리다 맞춰진다. 그런
다음을 확인한 제하. 고갤 끄덕이고 힘차게 외친다.

　　　제하　　　　**레디… 액션.**

#31. 〈하얀 사랑〉의 한 장면. 시골병원. 낮.
재인(유나)이 다음(규원)의 팔에서 링거를 떼어 내고선,
가만히 안아주는.

　　　유나(재인)　조금이라도 이상하면 바로 연락해야 해.
　　　규원(다음)　응, 고마워. 그리고… 미안해.

눈물을 닦으며 돌아선 유나가 의료 기기를 챙겨 카메라
밖으로 나가고,
홀로 남은 규원이 일어나 서서히 짐들을 정리하기 시작한다.

CUT TO.
옷을 갈아입은 채로 퇴원 준비를 마친 규원. 가방을 들고선
병실 밖으로 나가다…
문을 열고선 돌아서 병실 안을 훑어본다… 상념에 잠긴 듯한
표정으로…

그때, 모니터를 바라보던 제하의 표정과 모니터 속 다음이
교차되고, 제하가 고개를 들어 유홍을 보며 고개를 살짝
가로젓는.

　　　유홍　　　컷, 잠시만요!

38

#32. 촬영현장. 시골병원. 낮.

콘티를 살피며 직전 테이크를 확인하는 제하. 만족스럽지
못한 표정…
뒤에서 의자에 앉아 보고 있던 한상무,

> 한상무   엄청나게… 리얼하네요.
> 제하   (신경이 쓰이지만, 대꾸 없이 무전) 배우도
>   와서 같이 볼게요.
> 한상무   볼수록… 진짜 환자 같네.
> 제하   (서늘하지만 뒤돌아보지 않는다)
> 승원   그만큼 연기를 잘 한다는 뜻이죠?
> 한상무   아니, 정말 어디 아픈 건 아니죠?

제하, 한상무의 태도가 신경이 쓰이는데, 다음, 다가오고.

> 다음   (조마조마하고) 감독님… 어땠어요?
> 제하   우선 한번 같이 봐요. 여기 와서.

함께 모니터를 보며 직전 테이크를 확인하는.

> 다음   (아쉽고) 이게… 맞나.
> 제하   (고민스럽고) 이 장면. 시나리오대로 잘
>   했어요. 잘 했는데…
> 다음   뭔가 하나 아쉬워요.
> 제하   꼭 지문대로 할 필요는 없어요. (가까이
>   다가가서 속삭이는) 그러니까 규원이가
>   스스로 자신에게 남은 시간을 쓰러 가는
>   거지, 포기하러 가는 게 아니잖아요. 아파도

39

뭐든 다 할 수 있다는 마음… 그 마음 알죠?

다음   (그거다) 알죠. 누구보다 잘 알죠.

제하   마냥 쫄았을 것 같진 않은데, 내가 아는
          이다음은.

다음   맞아요. 가슴이 터지게 설레고, 무섭고…
          마음이 좀 아프기도 했고요.

제하   (웃고) 그거죠. 그런 감정을 보여줘요.

다음   네!

다음, 단단해진 얼굴로 다시 병원 침대로 돌아가 다시
테이크를 준비한다.
그런 다음과 제하를 묘하게 지켜보는 승원과 한상무.

      다음   저 준비됐습니다!

곧이어 들리는 슬레이트 소리… 탁!

#33. 〈하얀 사랑〉의 한 장면. 시골병원. 낮.
옷을 갈아입은 채로 퇴원 준비를 마친 규원. 가방을 들고선
병실 밖을 나가다…
문을 열고선 돌아서 병실 안을 천천히 훑어본다…

INS. **2부 53씬 직전 상황. 병실을 떠나기 전, 마지막으로
둘러보는 다음. 캠코더를 열어 빈 병실을 뷰파인더에
담는다. 눈물이 살짝 고인 눈가, 옅은 미소를 머금으며
뷰파인더를 닫고, 씩씩하게 돌아선다.**

40

규원, 다음의 회상과 같이 벅찬 미소를 지닌 채 후련한

표정으로 돌아서 나가는…

CUT TO.
모니터로 다음의 연기를 보고 있는 제하.
다음의 미소를 따라 자신도 모르게 고개가 끄덕여지고.
무전기로,

　　　제하(E)　　컷. OK입니다.

제하의 OK 소리에 환하게 웃는 다음과 스태프들. 유독
무심한 얼굴로 스윽 빠지는 한상무와 다음의 연기를 보고
묘하게 끄덕이며 인정하는 승원의 얼굴.

　　　유홍　　　네 OK입니다! 고생하셨습니다!

#34. 촬영현장 시골병원 인근. 낮.
촬영이 끝난 스태프들, 장비 정리하며 철수하고 있고.
모니터 앞에 앉아 있는 제하. 오랜만에 첫 촬영의 여운이
가시지 않은 듯,
한동안 일어나지 않고 있다. 정신 차리고 주위를 둘러보면,
해맑은 표정의 다음이 여기저기 90도로 인사하며 자신에게
다가오고 있고.

　　　제하　　　고생했어요. 쉽지 않았을 텐데. 그리고,
　　　　　　　　잘했어요.　　　　　　　　　　　41
　　　다음　　　(놀라고) 칭찬하신… 거예요? 저 정말
　　　　　　　　잘했어요?
　　　제하　　　너무 들뜨진 말구요.

다음	…감독님. 제가 이 장면을 수백 번 수천 번 상상했었거든요.
제하	?
다음	상상 속에 들어와 보니까… 진짜 장난 아니네요. 영화를 만든다는 거… 정말 죽이는 일이에요. (활짝 웃고)
제하	(웃지 못한다) 그… 거… 표현을 해도 꼭.
다음	(웃음) 너-무 좋다구요!
유홍(E)	저희 빠르게 이동하겠습니다!

신난 채로 가는 다음의 뒷모습을 보고, 일어나 짐을 챙기다,
문득 주변을 둘러보고.
분주하게 이동 준비하는 스태프들의 모습. 현장의 바쁜
분위기. 그런 모습을 한참 바라보는 제하.

제하	영화를 만든다는 거… 정말 죽이는 일이네.

기분 좋게 웃는 제하의 모습.

#35. 촬영현장 인근. 밖. 낮.
표정을 읽을 수 없는 한상무, 반면에 생각이 많아 보이는 승원.
한상무의 차가 가까워지고.

한상무	배우도 감독도 물건은 물건이네. 전 이만 가보겠습니다.
승원	더 안 보시고요?
한상무	감독이랑 배우 보니까 알아서 스토리가 줄줄 나올 것 같은데… 대표님이 좀 푸시만 더

42

해주시면 더할 나위 없을 것 같고,

승원   (의미심장하게) 조금만 더 기다려보세요.
제가 적절할 때 불 지피는 덴 선수거든요.

승원, 차 문 열어주면, 한상무 고개 까딱하고 탄다.

한상무   (비웃듯 풉 웃고) 그럼 부탁해요.

차 떠나고, 승원, 떠나는 한상무의 차를 보며,

승원   영화의 '영'자도 모르는 영한 놈의 새끼가…
쯧.

#36. 촬영현장. 규원의 집. 낮.

서점 옆에 딸린 작은 주택. 촬영 준비가 한창이고.
거실에 앉아 시나리오를 들고 현철과 대사를 맞추고 있는
다음.

다음   (조금 어색하게 짜증내며) 그 사람 이상한
사람 아니야.

현철   (로프 턱 던지며) 그럼 뭔데 이건. 청테이프에
번개탄까지…

다음   겁쟁이야. 못 죽어. 살날도 얼마 안 남은 내
앞에서 이럼 안 되지. 내가 그렇게 안 둘
거야.

43

현철   당장 내보내. 아니, 내가 가서 확…

다음   아버지!!!! (일어서는 현철을 끌어당기며
말리는)

현철	(현실 톤으로) 규원아. 처음에 더 짜증내봐. 그리고 아빠라고 바꿔 부르고.
다음	처음에요? 어… 어떻게…
현철	너 아빠한테 잘하니? 아버지, 아버지 하면서 짜증도 안 내고?
다음	아뇨… 아빠라고… 짜증도… 못된 말도… 다 해요.
현철	그렇지. 규원이는 아빠밖에 없어. 아빠랑 제일 친하고. 이렇게 가까운 사이라면 말도 좀 툭툭. 짜증도 내면서.
다음	(짜증이란 감정에 몰입하고, 한숨 쉬며) 그 사람 이상한 사람 아니야…
현철	좋다. 됐다. 귀신같이 바로바로 알아듣네. 기특하게.
다음	(칭찬에 울컥, 벅찬 마음, 눈물 훔치고)
제하	(시나리오 들고 다가와서 다음 보고) 왜 울어요?
현철	(당혹) 어이구. 그르게. 나 때문인가?
제하	선생님한테 혼났구나.
다음	(입을 떼다 더 울컥, 작게) 그게… 아니라… 좋아서…
제하	네?
다음	(크게) 좋아서요!

44   제하와 현철, 서로 당황스럽지만 이해가 되는 얼굴.

제하	그럼 이제 들어갈까요?

#37. 촬영현장. 규원의 집. 낮.

다음이 현철을 부여잡고 있는데서 유홍의 컷 소리가 들리고.

유홍   오케입니다 지금부터 한 시간 동안
           식사시간입니다. 식사하세요!

#38. 촬영현장 인근 공터 야외 밥차 배식 자리. 낮.

길게 늘어진 밥차 줄. 그쪽으로 제하가 걸어가고 빠르게
걸으며 제하를 지나치는 다음.

다음   (제하에게 슬쩍) 저 감독님한테 질문이
           많아서요. 찌~기 자리 맡아 놓을게요!
           (커피스틱 흔들며) 티타임까지 준비했거든요.
제하   (옅은 미소. 천천히 걷고)

#39. 촬영현장 인근 공터 야외 밥차 테이블 자리. 낮.

식판을 내려놓으려던 은호가 밥을 받아서 한 테이블에 자리
잡고 앉은 다음을 발견한다. 내려놓으려던 식판 다시 들고
일어서며.

철민   어디 가.
은호   (머리 굴리고) 친한 후배거든요. 이다음.
           저쪽 가서 먹을게요!

구석 테이블에서 몰래 약을 꺼내 잽싸게 입에 넣고 삼키는   45
다음의 옆에 식판을 내려놓고 앉는 은호.

은호   여기 다른 데보다 잘 나오는 편이다.

다음	(놀라서 켁켁)
은호	왜 그래! 괜찮아?

둘 맞은편에 제하가 서 있다. 은호와 있는 다음을 보고,

제하	질문 있다고…
다음	(불편하고) 네! 일단… 앉으세요!! 밥 먹죠!
	어, 또 셋이 먹네요.
은호	아… (다음을 보며) 이따 올까?
제하	괜찮아요. 드세요.
은호	(꾸벅) 네.

어색하게 밥 먹는 셋… 을 다른 테이블에서 재인이 바라보고 있다. 의심스런 얼굴로.

CUT TO.
다음, 옆 테이블에 놓인 온수기 앞에서 세 개의 종이컵에
나란히 온수를 받는다.
커피스틱으로 하나씩 저으며, 차례로 자신이 있던 테이블로
옮기는.

은호	어 고마워, 근데 믹스커피는 잘 안 마셨잖아?
다음	아, 하하… 이건 단백질이 들어가서 (제하
	쪽으로 전해주며) 몸에 좋대요…
제하	(받으며) 잘 마실게요. 향이 좋네.

다음, 가방에서 캠코더를 꺼내 밥차 주변을 스케치하는.
갑자기 전원이 꺼지고. 먹통.

제하	(신경 쓰여 보고)
다음	이게 왜 이러지…
은호	줘봐. (받아들고) 요새 빈티지 캠코더 유행이라더니. 근데 이건 너무 고물인데? 내가 봐줄게, 커피도 얻어 마셨는데.
다음	(어색하게) 고마워… 저 감독님.
제하	(보면) 네?
다음	(제하가 든 커피를 보며) 맛있어요?
제하	(웃고) 맛있네요. 설마 이게 물어보고 싶은 거였어요?
다음	당연히 그건 아니구요… (시선을 피해 커피를 마시고)

다음과 제하가 커피를 마시며 얘기하는 동안 캠코더를 만지던 은호가 저장된 파일 미리보기로 찍힌 파일을 보는데, 제하, 또 제하다. 그리곤 고개를 들어 제하를 바라보는 다음의 눈빛을 본다. 황급히 캠코더를 닫고.

은호	다시 잘 되는데? 저기, 다음아.
다음	응?
은호	(아무렇지 않게 커피 마시면서, 용기내고) 나 여기 약속된 촬영 일정 끝나면 세 달 동안 동남아 촬영 다녀오거든. 그럼 너도 촬영 끝나고 쉬고 있겠지?
다음	…(제하 한 번 눈치 보고) 왜?
은호	나도 좀 쉴 거라… 그때… 자주 연락해도 될까?
제하	(묵묵히 커피만 마신다)

47

Episode 7

다음	어? 어…
은호	(앞에 제하 신경 쓰지 않고) 그럼 그렇게 하는 거다.
제하	먼저 일어날게요. 잘 마셨어요, 커피.

제하, 일어나 가고, 그런 제하가 신경 쓰이는 다음과 그런 다음을 보는 은호의 모습.

#40. 밥차 인근 디저트차 앞. 낮.

첫 촬영을 기념해 승원의 제작사에서 보내온 디저트차.
스태프들 줄 서서 컵과일과 다과들을 받고 있는데, 식사를
마친 진미가 줄 선다.
앞에 서있던 철민을 발견하고, 담뱃불에 그을린 철민의 옷
로고가 눈에 띈다.

INS. 6부 49씬. 철민의 옷 로고에 담배빵을 내는 진미.

그때의 상황이 생각나 민망한 진미. 철민에게 말을 걸까 말까
고민하는데,

철민	(시선 느껴져 진미 보고) 과일 좋아하죠?
진미	(깜짝 놀라고) 같은 거로 주세요.
철민	(빤히)
진미	(주변 살피고 작게 담배빵 난 로고 패치 가리키며) 제가 원래 그런 사람이 아닌데 술기운에 조금 흥분했나 봐요… 옷은 제가 똑같은 걸로…
철민	(컵과일 나와 받아서 진미 주고) 아끼던 거예요.

48

진미	(자연스럽게 받으며) 고마워요. 아! (핸드폰 꺼내며) 계좌번호 불러주세요.

진미의 말에 철민, 진미 핸드폰 조심스럽게 가져가 계좌번호
대신 전화번호.
찍는데… 이미 저장되어 있다.

철민	어라? 제 번호가?
진미	하아. 촬감님 번호야 당연히 저장하죠. 아니, 계좌번호를 달라니까요. 물어주게.
철민	뭐, 이대로도 괜찮은데. (진미 폰으로 전화 건다)
진미	이, 이거 그냥 두면 좀 없어 보이잖아요. 촬감 체면이 있지.

철민, 자기 핸드폰에 진미 번호 뜬 거 확인하고, 핸드폰 돌려주며,

철민	(웃고) 그래요 그럼. 휴차에 사러 가요. (가는)
진미	(혼잣말) 아니… 휴차엔 각자 쉬는 거지…뭐야, 근데 내 번호 없던 거야?

철민이 쿨하게 퇴장하고. 진미, 그 모습을 얼떨떨한 표정으로
바라보며 과일을 하나 입에 욱여넣고서,

진미	하, 뭐지? 이 진 듯한 기분은?	49

#41. 교영의 회사 앞.
퇴근하고 나오는 교영 앞에 나타난 희태. 꾸벅 인사하고.

교영	누구세요?
희태	앤패치 기잡니다. 이상한 사람 아니구요.
	이다음 씨 친구시죠?
교영	(다음의 이름에 경계하고) 왜 그러시는데요?
희태	집에 갔더니 여기 근무하신다고 들어서요.
	혹시 잠깐 인터뷰 좀.
교영	(미선에게 전화하며 희태 무시하고 걸어가는)
	엄마!!! 이상한 사람한테 문 열어줬어?
	앞으론 싹 다 무시해!!! (끊고)
희태	저기요! 저 이상한 사람 아니고…
교영	(노려보며) 인터뷰 안 합니다. 무슨 목적이든
	그냥 안 해요. 뭘 물어보셔도 대답 안 하고요.
	아시겠죠? 어. 따라오지 마세요. 신고해요.

쌩하게 가는 교영을 의심스럽게 보는 희태. 누군가에게
전화를 건다.

희태	고대표님 말씀대로 주변 사람들이 굉장히
	방어적이네요. 아버지가 한국대병원
	의사라는데. 그쪽도 한번 알아볼게요. (끊고)

교영이 간 쪽을 의미심장하게 보는 희태.

#42. 촬영현장. 규원의 서점 인근 바다. 저녁.

50 같은 시각, 촬영현장과 가까운 해변가.
현철, 파도를 감상하며 천천히 앞서 걷고 있고, 제하가
뒤따라 걷고 있는.

현철	이다음, 네가 찾았다면서?
제하	네… 오디션에서요. 운이 좋았어요.
현철	좋은 배우 알아보는 눈은 아버지와 똑같구나.
제하	…김진여 씨는 어떤 사람이었나요?
현철	(발걸음을 멈추고, 돌아서서) 혹시… 만났니?
제하	(보면)
현철	진여가 네 안부를 자주 물었어. 널… 만나고 싶어 했다.
제하	철이 들기도 전부터 세상에서 제일 미워하던 두 사람이 아버지와 김진여 씨… 였는데, 이제는 뭐가 뭔지 모르겠어요.
현철	…나도 잘 아는 것은 아니다만, 진여는… 적어도 세상에 그렇게 손가락질 받을 만큼 잘못된 사람은 아니었다…
제하	혹시… 아저씨는 저희 어머니에 대해 아는 건 없으세요?
현철	(고개를 천천히 저으며) 나야 자세히는 모르지만… 아, 이두영 감독이 술을 먹으면 가끔 그런 말을 하긴 했지.
제하	(현철을 본다)
현철	은애가 내 여자라서 정말 다행이야…라고.
제하	!!

현철 뒷짐 지고 천천히 앞장서 걸어가고, 남은 제하… 현철의   51
마지막 말을 곱씹는다.

Episode 7

#43. 서영의 밴 안. 밤. / CF 촬영장 (교차)

삼척으로 향하고 있는 서영의 밴. 서영, 조용히 창밖만을
바라보고 있고.
민희는 백미러로 서영의 눈치만 살피며 운전 중인.
그때 광고 촬영을 막 마친 정우에게서 전화가 오고.

서영	(받으며) 응.
정우	툭하면 자기 맘대로야. 같이 갈 수도 있었잖아.
서영	말했잖아. 같이 갈 기분 아니라고.
정우	나도 곧 출발해. 나 오늘 한 끼도 못 먹었어. 가서 뭐라도 같이
서영	내가 오늘은… 아니, 당분간은 나 좀 기다려줘.
정우	(잠깐의 정적) …무슨 일 있구나.
서영	… (대답할 말이 없고, 끊는다)

밴이 터널에 들어서자, 차창으로… 서영의 굳어있는 표정이
확연히 비치고.

#44. 8층 촬영팀 숙소 안. 밤.

은호와 촬영팀, 분장팀 제작부가 섞여 술을 마시고 있는.

분장팀	은호님은 이거 끝나고 뭐해요?
은호	촬영이 잡혀있는데 해외 올로케라, 바로 출국할 것 같아요.
촬영팀(진우)	부럽다… 난 코로나 이후로 외국 촬영 나가본 적이 없는데, 형 대신 내가 가면 안 돼요?

52

| 은호 | (웃으며) 그러게. 내가 너 대신 있고 싶다… 이 영화 끝날 때까지. |

그때, 재인이 밝게 인사하며 들어오는데, 사람들은 놀란 눈치다.

재인	안녕하세요~! 이 방이 제일 핫하다고 해서 들렀어요. 괜찮죠?
제작부	(당황) 어어, 어서 오세요.
재인	저 이런 거 완전 좋아하잖아요. 현장의 낭만? 스토리에 올려도 되죠? (술자리 사진 찍고)
제작부	(마지못해) 네네… 마음대로… 홍보되고 좋죠.
재인	(웃으며) 제가 또 30만 팔로워니까. (은호 보며) 오빠!
촬영팀(진우)	어? 오빠?
재인	같은 학교 나왔거든요. 한국예대 연영과. 아, 다음이도.
분장팀	(웃고) 은호씨 진짜 인기 많았겠다.
은호	(난처) 아, 없었어요, 인기.
재인	인기는 다음이가 많았죠. 그쵸?
은호	(불편하고) 그치.
제작부	(소주를 들이키며) 다음 씬 그때나 지금이나 인기가 많네.
재인	(모르는 척) 에? 지금도 뭐가 있어요? 아, 나 알겠다. 혹시… 그 감독님이랑 다음이랑…

53

재인의 물음에 제작부 사람들, 자기들끼리 눈치 보며 말을
꺼낼까 말까 하는데…

      은호   (자르며) 잠깐 나 좀 봐.

#45. 숙소 앞. 밖. 밤.

편의점에서 먹을거리를 한 바구니만큼 사서 들고 오는 준병,
한 손엔 우산이 들려있다.
벤치에 기대어 앉아 노트북 하는 유홍을 발견하고서 다가간다.

      준병   어 조감독님? 다들 술자리 한다고 난리던데
                   여기서 뭐하세요.
      유홍   아, 전 정리할 게 좀 남아서요. (거리 두는)…
                   혼자서, 조용히.
      준병   퇴근이 없으시구나. (무릎을 살짝 들어보고)
                   근데, 곧 들어가셔야 될 텐데…
      유홍   (의아하게 보는) 왜요?
      준병   아! 비가 올 것 같아서요. 하하.
      유홍   오늘 내일 비 소식 없는데. (잠깐 하늘
                   보고서) 보세요. 구름 한 점 없잖아요.
      준병   (자신만만 미소, 그러다 우산을 펴 쓰는)

유홍이 준병을 이상하게 훑어보고 노트북으로 시선을
옮기는데, 손에 빗물이 한 방울씩 툭, 툭 떨어진다…!
54 설마 하는 심정으로 천천히 고갤 들어 하늘을 바라보면,
빗줄기가 조금씩… 굵어지고.

      유홍   와. 이건 진짜 아니지. 기상청이 나한테

이러면 안 되지.

급하게 노트북을 챙겨 일어나는데,
옆에 있던 준병, 쓰고 있던 장우산을 유홍에게 씌워준다.

> 유홍   (신기하다) 어떻게 알았어요?
> 준병   ?
> 유홍   이 비요. 구독료 내가며 확인하는 어플에도
>   없던 비를 어떻게…
> 준병   아, 제가 꼭 비가 올 것 같다 싶음 소싯적에
>   운동하다 다친 무릎이 콕콕 쑤셔 대서. 하하!
>   앞으로도 좀 쑤신다 싶음 조감독님한테 제일
>   먼저 말씀 드릴게요. 하하하!

호탕하게 웃으며 TMI를 내뱉는 준병을 보고서,
어이가 없다는 듯이 픽 웃음이 터지는 유홍…

#46. 8층 제하의 숙소 안. 밤.

늦은 밤. 콘티를 집어든 채로 내일 찍어야할 씬들을 살피던
제하, 핸드폰을 들어 다음에게 문자 보내는.
[내일 씬 미리 얘기할까 하는데, 괜찮죠?]
콘티와 패드를 챙기고선 다음과 얘기하기 위해 방을
나서려고 하는데,
그때, 따가운 비가 창문을 때린다. 창문을 바라보며 어디론가
급히 전화 걸고.

55

> 제하   어 홍아, 지금 밖에 비 이거 혹시.
> 유홍(E)   **걱정 마세요, 금방 그친대요.**

Episode 7

제하	다행이네. 채서영, 김정우는 내일 온다고 했나?
유흥(E)	**오늘까지 스케줄 있다고 해서 내일 오전 일찍 온다고 했어요. 왜요?**
제하	아니… 그냥. 난 9층에서 배우랑 얘기 좀 하고 있을게. 찾을 일 있으면 거기로 와. 어, 고마워.

전화를 끊고서 문을 나서는 제하. 엘리베이터를 타려다,
한 층이라 계단을 이용하는.
비상구 계단을 여는데, 위쪽에서 들리는 목소리. 은호와
재인이다.

| 은호 | 너 혹시 다음이랑 무슨 일 있었어? |

#47. 리조트 비상구 계단. 밤.

재인	(태연하게) 무슨 일?
은호	낮에 촬영장에서… 나, 봤어.
재인	(어이없고) 배우들끼리 대화도 못 하나?
은호	그럼 지금은? 사람 없는 자리에서 이다음이 인기가 어쩌고, 거기다 또 감독님 얘기까지 덧붙이면서… 좀 이상하잖아?
재인	본인들이 아무 일도 없는 거면 이상할 건 없지 않아요?
은호	소문에서 자유로울 수 있는 사람이 어딨어. 너나 다음이한텐 훨씬 민감한 문제 아니야? 촬영장만큼 말 퍼지기 쉬운 곳 없다는 거. 너 잘 알잖아. 너랑 다음이 친구였잖아.
재인	(갑자기 빡쳐서 급변) 친구는 무슨…

소문인지 아닌지, 오빠가 알아? 이다음이
어떤 식으로 주인공이 됐는지. 아무도 아는
사람이 없는데? 마치 아는 것처럼 말하네.
뭐, 아직도 이다음 좋아해요?

은호   (단호하다) 어. 나 이다음 아직 좋아해.
그러니까, 다음이한테 함부로 안 했으면
좋겠다.

재인   (어이가 없다) 뭐? 하. 왜 다들 나한테 난리야.

화난 재인, 9층 복도로 나가 버리고,
착잡한 표정으로 둘의 대화를 듣고 있던 제하도 이내
나가버린다.

#48. 엘리베이터 안. 밤.

9층에 도착한 엘리베이터. 문이 열리고, 착잡한 표정의
제하가 그대로 서 있다.
문이 다시 닫히기까지 한참 서있다 닫히기 전 열림 버튼을
누르고서 내리는.

재인(E)   **아직도 이다음 좋아해요?**
은호(E)   **어. 나 이다음 아직 좋아해. 그러니까,**
           다음이한테 함부로 안 했으면 좋겠다.

INS. 4부 54씬. 테라스에서 서영과 나눴던 대화가 떠오르고.
서영   **이다음 씨, 많이 아끼나 봐?**   57
제하   **…필요한 거야. 그게 전부야.**

당당한 은호의 말과 행동과는 대비되게 다음을 대했던

Episode 7

자신이 떠오르는 제하.
부끄럽고… 후회되고…

#49. 9층 다음의 숙소 안. 밤.

방에서 쉬고 있던 다음, 약을 한 움큼 꺼내 입에 털어넣고
물과 함께 삼켜 버리는.
그리고 제하의 문자를 확인하고, 그때 울리는 초인종 소리.
기분 좋은 표정으로 천천히 문을 여는데, 앞에 서 있는 사람,
제하가 아닌 서영이다.

서영	(손에 든 대본 흔들고) 첫날부터 잘했다고 다들 칭찬이 자자하더라. 잠깐, 들어가도 되지? 내가 이제 도착해서 우리 대사 맞춰 보려면 지금밖에 시간이 없을 것 같은데.
다음	아, 네… 선배님! 아, 잠시만요!
서영	(들어서며 문 닫히고) 왜, 누구 숨겨놨어?

서영이 뚜벅뚜벅 침대 쪽으로 걸어가고, 얼어붙은 다음이 그
뒤를 천천히 따라오고.
서영, 침대 옆 협탁에 약통을 본다.

서영	무슨 약이야?
다음	(!) 아, 그게…
서영	(집어 들어 밑을 슥 보고) 아 뭐야. 소품이구나?
다음	(다행이다) 아 네, 영양제를 좀 넣어놨어요… 비타민…
서영	(묘한 눈으로 빤히 가만 보다) 비타민이야?

58

다음	(불안하고) 네.
서영	(통을 열어서 한 알 꺼내고) 그럼 이거 내가 먹어도 돼?
다음	(사색이 되고, 예상치 못한) 아, 잠시만요! 아뇨. 저…
서영	왜. 비타민이라며.

서영이 입 안에 약을 가져가려고 하자 놀란 다음이 서둘러
소리치며 빼앗는.

다음	안 돼요!! 선배님!!!

서영, 빼앗기고도 전혀 놀란 기색 없이 시선을 다음에게로
고정한 채 그저 지켜보는.

서영	…병원에 얼마나 오래 있었길래, 이렇게나 세상 물정을 몰라… 심지어 성의까지 없어.
다음	…!

그때, 띵-동 하는 벨소리. 서영과 다음 둘 다 현관 쪽을
바라보고.

#50. 9층 다음의 숙소 앞 복도. 밤.
제하, 문이 열리길 기다리고 있는데 벌컥 문이 열리고, 보면
서영이다.   59
흔들리는 제하의 눈.

#51. 9층 다음의 숙소 안. 밤.

서영을 따라 들어가면 침대 위엔 약통이 있고, 그 옆에
위태롭게 서 있는 다음이 있다. 제하, 그런 다음을 보자마자
다가가 살피고, 손을 이마에 짚고.

> 제하　　　괜찮아? (약 보고)

제하, 침착하게 다음을 살피고, 서영은 그 모습을 뚫어져라
쳐다보고.

> 제하　　　괜찮은 거냐고.
> 다음　　　(뒷걸음질) 괜찮아요…
> 제하　　　(돌아서 서영 보고) 도대체 왜 여길… (테이블
> 　　　　　위 대본 보고)
> 서영　　　그건 내가 물어보고 싶은 말인데?
> 제하　　　그리고 또 뭐. 더 있잖아. 물어보고 싶은 거.
> 서영　　　말함, 대답할 순 있고?
> 제하　　　…
> 서영　　　서로 둘의 얼굴을 좀 봐.

다음, 제하의 굳은 얼굴을 보고 속이 상하고…
제하도 마찬가지고. 둘을 보는 서영은 일그러지고.

> 서영　　　까놓고 얘기 한번 해보자. 다음 씨 연습실로
> 　　　　　처음 불렀던 날. 화장실에서 소리 지르면서
> 　　　　　발작 일으켰어. 내가 병원 데려 갔어.
> 　　　　　응급실에서 기다리다 걱정돼 들어가 보니…
> 　　　　　없더라? 의사가 신경 쓰지 말래. 어디가 아픈

60

건지 얘기도 안 해. 돌아가래. 황당하지. 병원
데려온 보호자는 난데…

다음   …선배님… 그건…

서영   응. 그건. 그렇다 친 지 오래됐어. 그 다음.
우리가 만난 건 의사 가운을 훔쳐 입고 탄
엘리베이터 안이었어. 간호사는 이다음 씨를
찾았고, 나는 언니인 척 연기하며 이다음
씨를 데리고 그곳을 빠져나왔지.

제하   (다음 보고)

서영   그렇게 우리 집에 데리고 왔고, 감독님이
도로 데리고 갔고, 이제는 설명을 해줘야 될
거야. 도대체 왜. 도대체 뭐길래.

제하, 어떻게 말해야 할까 고민하는 모습.
다음, 그런 제하 모습 보다 결심한 듯 단단한 표정으로,

다음   …이제 4개월쯤 남았을 거예요.

서영   4개월?

제하   이다음 씨.

다음   그 안에 영화를 다 찍을 수 있을 거라고
생각했어요. 아니, 찍어야 돼요.

제하   내가 설명할게.

다음   진짜 죽냐고 물었죠? 네. 진짜 죽어요.

서영   …!!

제하   이다음!   61

다음   (아랑곳 않고) 선배님. 저, 시한부예요.
연기도 설정도 아닌, 곧 죽을 진짜 시한부.

Episode 7

세차게 비가 내려 창문을 두드리는 방 안에서,
충격을 받은 서영과 당황한 제하, 단단한 다음의 표정.
그러나 굳세게 먹은 마음과는 다르게, 움켜쥔 주먹이
미세하게 떨리고 있고… **엔딩.**

Episode 8

서영에게 시한부를 고백한 다음. 제하와 다음의 선택을
이해할 수 없는 서영. 날선 분위기는 촬영장까지 이어진다.

#1. 〈하얀 사랑〉의 한 장면. 서점 안. 낮.

영화 〈하얀 사랑〉 속 한 장면. 영화 특유의 화면비와 질감이
느껴지고.

서점 안에서 규원(다음), 현상(제하), 정화(서영)가 대치
중이다.

> 정화(서영) 싸구려 동정이랑 사랑을 구별 못 해?
>
> 현상(제하) 나가, 나가서 얘기해.
>
> 정화(서영) (현상의 팔을 뿌리치며 규원에게) 그쪽이
>   말해 봐. 죽을 날 받아놓은 사람이 무슨
>   염치로 사랑을 해?
>
> 규원(다음) (마음이 아프다)

#2. 삼척 촬영현장. 서점 안. 낮.

화면비와 질감이 일상으로 돌아오고,

규원의 모습으로, 표정 연기를 하고 있던 다음. 본 촬영을
준비 중에 있는 분위기.

1씬의 대본을 보고 있는 다음, 마지막 정화의 대사를 한참
동안 바라보고…

– 타이틀, 〈우리영화〉 –

#3. 9층 다음의 숙소 안. 밤.

7부 51씬에 이어서.

64

> 다음 시한부예요. 연기도 설정도 아닌, 곧 죽을
>   진짜 시한부.

세차게 비가 내려 창문을 두드리는 방 안에서,
충격을 받은 서영과 당황한 제하, 단단한 다음의 표정.
그러나 굳세게 먹은 마음과는 다르게, 움켜쥔 주먹이
미세하게 떨리고 있고…

다음	감독님 미안해요. 약속 못 지켰어요. 더 이상… 서영 선배님한테 거짓말… 못하겠어요.
서영	(믿기 힘들어 다음을 훑어보고) 시한부…?
다음	선배님. 정말 죄송합니다. 너무 죄송합니다.
서영	…(말문이 막히고, 제하를 노려보고) 이게 다 …사실이야?
제하	(서영 보고) 나랑 얘기해.
서영	그러니까… 잠깐만, 생각했던 것보다 더 최악이라. 나 여기 못 있겠다.

서영, 곧바로 방을 나가버린다.
제하, 바들바들 떨고 있는 다음의 주먹을 한 번 부드럽게
잡아주고,

제하	나한테 맡겨요. 걱정하지 말고, 비 오니까 나오지 말고 안에 있어요.

제하, 나가고,
다음, 긴장이 풀려 털썩 주저앉는다.

65

#4. 리조트 인근 길가. 밤.
비를 맞으며 거침없이 걷는 서영을 따라 나온 제하, 뛰어가
서영을 붙잡고.

제하	얘기 좀 해.
서영	(손 떼어내고, 경멸스럽고) 왜? 왜 따라 나와? 내 입 막으려고? 나만 입 다물면 되는 건 맞아? 네가 사람이야?
제하	이다음 아파. 어쩌면 걔 말대로 얼마 못 가서 죽을 수도 있어. 그래서 나는… 걔가 필요했어.
서영	뭐?
제하	너는 알잖아. 내가 이 영화에 진심일 수가 없는 이유.
서영	…
제하	그래서… 이다음이라면… 규원이에게 누구보다 진심일 수밖에 없는 이다음이라면… 이 영화, 내가 망쳐도 완성해줄 것 같았어.
서영	이제하. 진짜 미쳤구나.
제하	지겹더라. 나만 제자리에 맴돌고 있으려니까.
서영	?
제하	너, 승원이형 그리고… 정우 씨도. 함께 했던 사람들 모두 5년 동안 저만치 나아가 있는데, 나만 5년 전 그대로더라고. 그래서 한번 벗어나 보겠다고 부여잡은 게 진짜 시한부인 이다음이랑 내… 아버지 영화였어.
서영	(머리가 아프지만 제하에 대한 연민도) 차라리 그냥 고여 있는 채로 썩어있지 그랬어.
제하	미안하다.
서영	됐고. 이제 방법은 두 가지뿐이야. 잘못을 바로잡든지, 아님 지금처럼 모든 사람들을

66

속이면서 상황을 바닥까지 끌고 내려가든지.
어떤 선택이든 응원은 안 해.

제하   원래대로 돌려놓을 수 없다는 거 알아. 근데…
나 이 영화, 이다음이랑 같이 만들고 싶어.

서영   (이다음, 같이, 이 말에 긁히고) 하…

제하   이다음한테는 시간이… 정말 없어. 그래서
무작정 앞뒤 안 보고 밀어붙였어. 일단
시작만 하면 어떻게든 완성할 수 있을 것
같아서. 이제는 멈출 수가 없다.

서영, 비를 맞고 있는 제하의 모습이 처량해 보이지만 너무
화가 난다.

서영   (되레 차분하게) 시한부를, 그것도 언제
죽을지 모를 그런 애를 데려다 놓고 영화를
만들겠다고? 그러다 정말 죽으면?

제하   …

서영   감독님도 그땐 끝이야.

제하   이 영화만 만들 수 있으면, 기회가 다시 오지
않아도, 사람 취급 못 받아도 괜찮아. 그런
건 정말… 이제 하나도 중요하지가 않아.

서영   …딜을 했어야지. 부탁이 아니라.

제하   ?

서영   이다음이 영화 찍는 도중에 죽을 수도
있다는 걸 감수하고 캐스팅을 했으면, 그걸   67
나한테 들켰으면, 그 배역 네가 할래? 싫어?
그럼 원하는 걸 얘기해라, 그랬어야지.

제하   서영아…

서영	당신은 지금 영화가 아니라… 이다음을 지키고 싶은 거잖아.
제하	(자기도 몰랐던 마음이다) !!!
서영	내가 이 키를 어떻게 쓸지는 생각해 볼게. 나야 이 모든 사실을 털어놓고 빠지면 돼. 침묵으로 여기에 함께 하고 싶은 생각 추호도 없어. 그렇지만… (심호흡) 거래라면, 생각해 볼게.
제하	…
서영	이다음한테 마음 있는 거 알겠어. 근데 난 그 마음이 왜 이렇게 우스울까. 이제하가 정말 다 내려놓고 사랑 같은 걸 할 수 있을까? 끝을 다 알면서 정말 그럴 수 있을까?
제하	…

서영이 가고 남겨진 제하, 비참하다.
그런 제하에게 어느 순간 다가와 우두커니 서서 우산을
씌워주는 다음.
제하 고갤 들어 다음을 보면, 억지로 웃어 보이려는 모습…
제하, 우산을 다음 쪽으로 기울여 씌워주고, 그곳을 떠난다.
그런 제하를 하염없이 바라보는 다음의 모습.

#5. 리조트 서영 방 앞 복도. 안. 밤.
앞에서 기다리고 있던 정우. 서영이 다가온다.

68

정우	(놀라서) 어디서 이렇게 비를 맞았어?
서영	(카드키 대고, 문 열고) 들어와.

정우, 복도에 사람이 없는지 살피고 따라 들어간다.

#6. 리조트 서영 방 안. 밤.

정우   (붙잡고) 뭐야. 왜 이렇게 비를 맞았어.

서영   왜 왔어?

정우   내일 우리 촬영이니까. 대사 맞추려고 왔어.

서영   피곤해. 내일 일찍 만나서 해.

정우   왜 비 맞았냐고.

서영   (신경질적으로 대본 찾고) 대사 맞춰보자.

정우   (말리고, 잡고) 채서영.

서영   (직설적으로) 내가 미련이 좀 있어.
          이제하한테. 그래서 좀 구질구질하게 치댔어.
          그랬더니 이제하. 별 반응 없더라. 화가 나는
          거야. 내가 못 가질 바엔 그냥 망가졌음
          좋겠어. 밖엔 폭우가 막 쏟아지는데 난 아늑한
          집 안에서 내리는 비 구경이나 하려고.

정우   (원망스럽지만, 참고) 도대체, 너한테 나는
          뭐야.

서영   그 아늑한 집이 너야. 싫으면 언제든지 얘기해.
          알잖아, 나 이사 잘 다니는 거.

정우   (서영 보다 시선 돌리고) 들어가서 쉬어.
          약 먹고 자. 내가 내일 깨워줄게.

정우, 방을 나간다.
서영, 스스로 계속 수렁으로 빠지는 것 같다.   69
거칠게 가방에서 신경 안정제 꺼내 입 안에 털어 넣고
주저앉는다. 눈물이 그렁한 채로.

Episode 8

#7. 리조트 다음 방 안. 밤.

다음, 침대에 털썩 앉는데, 식사 알람이 울린다.
무겁고 지친 얼굴로 천천히 일어나 간이 냉장고를 열면,
준병이 사다준 샌드위치가 있다.

INS. 1부 50씬. 샌드위치를 서영과 나눠먹던 모습.

포장을 벗겨 한입 베어 먹는 다음의 뒷모습… 그제서야
터지는 소리 없는 울음.

#8. 바닷가 어딘가. 밤.

내리는 비를 맞으며 정처 없이 걷는 제하.

> **서영(E)**   당신은 지금 영화가 아니라… 이다음을 지키고
> 싶은 거잖아.

제하, 시커먼 파도를 심란한 마음으로 본다. FADE OUT.

#9. 리조트 다음 방 안. 아침.

햇살이 눈부시다. 침대에서 눈을 뜬 다음.

> 다음   (작게) 감사합니다. 오늘도 살아 있게
> 해주셔서.

그때 울리는 문자. 준병이다. **[배우님, 밥 먹으러 가시죠!]**

70

#10. 영화 촬영현장. 삼척 인근 공터. 아침.

모니터 테이블에 앉아 철민과 콘티를 체크하고 있는 제하.
전날의 여파가 남아 있어 굳은 표정으로.

철민	맨날 자동차 부수고 건물 폭발하는 장르물만 찍다가 지긋지긋한 남의 사랑 얘기 천천히 들여다보는 거. 너무 좋다.
제하	(옅게 웃고) 그래요? 난 너무 어려운데.
철민	어렵죠. 근데 매력 있잖아요. 남의 사랑은 어떤가 보면서 내 사랑도 되짚어 보고.
제하	… 감독님은… 이게 사랑이다, 아니다. 어떻게 알아요?
철민	그걸 어떻게 몰라요?
제하	다른 사람들은 그거 다 아나.
철민	(호탕) 감독님. 진짜 몰라? 솔직하지 못한 타입인가?

지나가던 진미, 두 사람 이야기에 끼어든다.

진미	솔직하지 못하다기 보단 헷갈릴 수도 있죠. 요새 사랑 같은 사랑 별로 없어요. 귀해요. 헛다리 잘못 짚음 큰일 나죠. 인생 막 망가지고.
철민	자기 맘에 벽 쌓아두고 살면 아무리 사랑이 두드려도 그게 사랑인 줄 모르고 살죠. 그런 안타까운 경우도 종종 있죠.
진미	안타깝긴, 신중한 거지. 다 사랑인 줄 알고 믿고 퍼주고 그런 게 나이 허투루 먹는 거예요. 헷갈릴 땐 사리분별을 해야지.
제하	그거… 어떻게 하는 건데요?
철민	(씩 웃으며) 감독님. 보통은요, 이게 사랑인지 아닌지 헷갈리면, 그땐 이미 사랑이 시작됐을 가능성이 높아요.

71

Episode 8

진미	(고개 절레절레) 대개는 마냥 헷갈리다 끝나죠.
철민	(부드럽게) 용기의 문제 아닐까요?

철민과 진미, 제하 신경 안 쓰고 티격태격하는 와중에
제하 대본으로 시선을 돌리며 생각에 잠기고…

#11. 삼척 인근 식당 안. 아침.
작은 백반집. 준병이 물을 따라주며.

준병	오늘 촬영만 끝나면 이틀은 쉬네. 서울 올라갈 거야?
다음	네. …피부과 가야돼서.
준병	(조심스럽게) 오케오케. 병원부터 갈까 그럼?
다음	아, 저 그게… (거짓말이 자꾸 늘어나고…) 친구랑 가면 돼서…
준병	아, 그 같이 사는 교영 씨! 그럼 푹 쉬고 다음날 오전에 데리러 갈게. 보자… 캘린더 체크 좀 해놓고.

준병, 핸드폰 속 캘린더 앱을 보는데, 내일이 제하의 어머니
기일을 확인하고.

준병	아! 제하형 아니, 감독님도 갈려나. 물어봐야겠네.
다음	?
준병	감독형? 님? 아이, 그냥 제하형이라고 할게. 내일이 제하형 어머니 기일이어서… 피곤하면

| | 내가 운전해주면 좋으니…까. 아, 이걸 먼저 너한테 허락을 구해야 되는 건데, 그치. |
| 다음 | 아우, 아니요! 당연한 걸요. 꼭! 감독님도 같이 가요! 제가 이따 직접 말씀 드릴게요! |

사정을 모르는 준병, 다음의 마음 씀씀이에 감동한 표정

준병	근데, 왜 이렇게 못 먹어? 다른 거 시켜줄까?
다음	(웃으며) 아뇨. 매니저님이 자꾸 말 시켜서 그렇죠~
준병	(입 지퍼 닫는 시늉, 웃고)

#12. 영화 촬영현장. 삼척 시내 도로. 낮.

서영이 운전하고 있는 차 안. 시크한 표정으로 운전대를 잡고 있고.
컷, 하는 소리와 함께 차에 설치된 촬영 장비와 스태프들의 모습이 보이는, 촬영현장.
서영이 운전하는 차가 서서히 속도를 줄이고 정차하자,
모니터가 세팅된 승합차에서 모니터를 보고 있는 제하에게,
차 안에 설치된 마이크에 대고 말 하는 서영.

서영	(무미건조하게) 괜찮았죠?
제하	(무전기로) 네… 감정 좋은데요. 지금 걸로 오케이 할게요.
서영	(아무렇지 않게 마이크에 대고) 이따 봐요, 감독님.

73

차에서 내려가는 서영,

제하	(무전기로) 홍아, 오케이야. 서점으로 넘어갑시다. 준비 좀 해줘.

#13. 삼척 촬영현장. 서점 안. 낮.

장비 카트를 끌고 서점 안으로 들어선 은호.
다음이 서점 구석 의자에 걸터앉아 시나리오를 보고 있다.
지나가다 인기척 내고.

다음	어? 선배.
은호	세팅할람 30분은 걸릴 텐데. 왜 이렇게 빨리 나와 있어?
다음	연습도 하구. (분주한 현장 둘러보며) 저렇게 큰 장비를 들고 왔다 갔다 하시는 스태프들, 이 바쁜 소리들… 그냥 다 신기해서.
은호	(웃음) 그럼 연습하면서 나 세팅하는 거 구경해.
다음	그럴까?
은호	촬영감독님이 이번 영화는 빨리 찍는 게 핵심이라고 카메라 세팅 바꾸는 거 엄청 연습시키셨거든.
다음	…그렇구나.
은호	여기 원래 퍼스트보다 내가 더 빨라. 여기 눌러 앉고 싶네.
다음	…
은호	내일부터 이틀 휴차인데, 서울 가?
다음	응. 하루만 갔다 오려구. 하루는 여기 와서 쉬게.
은호	(기분 좋아 웃고) 그럼 나도 서울 안 가야겠다.

74

	나랑 놀자.
다음	응?
은호	나랑 놀아. 나 안 가고 기다리고 있을게.
	(눈치 보다) 잘 봐라. 얼마나 빠른지.
다음	(옅게 웃고) 얼른 일해.

다음, 일하는 은호를 보다가 서점 안으로 철민을 부르러 온
제하를 본다.
제하, 철민과 바로 나가고. 다음도 따라 나간다.
일에 열중하던 은호, 다음이 앉아 있던 쪽을 보는데… 없다.
서운한…

#14. 강원도 고속도로. 낮.
삼척으로 향하는 고대표의 차.
뒷좌석에 앉은 고대표, 무언가 작정한 표정으로 밖을 보고
있다.

#15. 삼척 촬영현장. 서점 근처 골목. 밖. 낮.
서점 근처 골목. 벽에 몸을 댄 채 무언가를 기다리는 다음.
곧이어 안쪽 골목에서 철민이 나오고. 벽에 바짝 붙어있던
다음을 보고 놀란다.

철민	어잇. 여기서 뭐하세요?
다음	하하… 어… 산… 산책이요.
철민	감독님 기다렸어요?
다음	(뜨끔, 바로) 네.
철민	가보세요. 혼자 계세요.
다음	네!

75

Episode 8

꾸벅 인사하고, 벽 짚고 얼굴부터 스윽 내밀어 보면 제하,
담배 끄고 있고.
다음, 어제 일로 괜히 어색해서 스윽 휘파람을 분다. 제하,
다음 쪽을 보는데,

INS. 8부 4씬.

> **서영**　　　**당신은 지금 영화가 아니라… 이다음을 지키고
> 싶은 거잖아.**

제하, 괜히 당황스럽고, 두 사람, 잠시 말없이 서로를
쳐다본다.
다음, 먼저 어색함을 떨치기 위해 괜히 큰 소리로.

다음　　　(제하 쪽으로 걸어오며) 으, 담배 냄새.

제하　　　(괜히) 거기. 거기서 얘기해요. 담배 냄새 나요.

다음　　　음. 싫다고 한 거 아닌데요. (가까이 와서)
　　　　　감독님. 내일 혹시 서울 올라가세요?

제하　　　…안 그래도 말하려고 했어요. 같이 가요.

다음　　　아, 그래서 매니저님이 감독님도 서울 가실
　　　　　일이 있는데, 감독님 피곤할 것 같아서
　　　　　태워다주고 싶다고…

제하　　　걔도 참 오지랖은… 병원에서 검진받아야
　　　　　하잖아요, 이다음 씨. 준병이랑 어떻게 같이
　　　　　가요.

다음　　　?

제하　　　내가 말할게요. 내가 가는 김에 이다음 씨랑
　　　　　같이 다녀온다고.

다음　　　…거짓말만 계속해서 늘어나네요.

76

우리영화 대본집

제하	네?
다음	매니저님도 그렇고… 서영 선배한테도
	그렇고. 다들 속이고, 또 미안하고…
제하	필요하다면… 거짓말 …해야죠.
다음	…?
제하	지금은 미안하다고 주저앉을 시간이
	없잖아요.
다음	감독님…
제하	(가볍게) 우리, 운명공동체 아닌가? 계약서로
	묶인.
다음	(픽 웃고)

다음과 제하, 서로를 애틋하게 바라보는 묘한 분위기
속에서…

다음	감독님.
유-홍-(E)	(OL) 감독님. 마실 것 좀 드릴까요?
제하	… (무전기에 대고) 아무거나. (무전기 무심히
	끄고 다음에게 시선)

이때, 재인이 전자담배에 스틱을 꽂은 채 오다가 둘을
발견하고 멈춰 선다.

재인	아 감독님. 안녕하세요. (다음 보고) 안녕.
제하	네, 안녕하세요 재인 씨. (다음에게) 더 할 **77**
	말 있어요?
다음	(절레절레) 먼저 가세요. 조금 이따가
	갈게요.

제하	왜요? 담배도 안 피면서.
다음	(작게) 같이 들어가면 사람들이 오해…
제하	우리가 뭘 했는데.
다음/재인	!?
제하	같이 가요. (웃고) 같은 방향이잖아요.
	(재인 보고) 그럼, 이따 뵐게요.
재인	아, 네네…

걷는 제하 옆에 따라 붙는 다음. 왠지 모르게 기분이 좋고…
둘의 뒷모습을 바라보던 재인. 예열이 완료된 진동을
무시하고서 계속 쳐다본다.

#16. 삼척 촬영현장. 서점 일각. 밖. 낮.

서점 쪽으로 걸어가는 제하와 다음. 멀리서 유홍이 음료를
들고 오며.

유홍	감독님! 잠시만요!
제하/다음	!?
유홍	아무거나가 뭐예요! 갖다 줄라 했더니.
	다음 씨 잘 마실게요.
다음	네?
유홍	매니저님은 커피차 앞에서 아주 뽕을
	뽑으시던데.
다음	커피차? 근데 왜 저한테 잘 마신다고…
유홍	엄청 비싼 커피차 왔던데요? 이다음 씨
	이름 대문짝만하게 걸구. 회사 들어가나
	봐요? 잘 됐다.

78

제하, 말없이 커피차 쪽으로 빠르게 걸어가고. 다음, 따라간다.
유홍, 음료 한입 쭉 빨고 갸우뚱.

#17. 삼척 촬영현장. 서점 일각. 밖. 낮.
주차된 고급 승용차에서 내리는 고대표.

#18. 삼척 촬영현장. 서점 일각. 밖. 낮.
[우리 주인공 이다음 배우가 쏩니다!], 다음의 기사 나간
연습 사진도 함께.
커피차에 박힌 플래카드를 쳐다보고 있는 제하와 다음.
준병이 음료 세 잔을 받아 들고 다음과 제하에게 나눠주는.

제하	너야?
준병	(정신없고) 이야. 메뉴도 많다. 이거 커피차 중에서도 단가가 제일 높은 고급이래. 먹어봐!
다음	매니저님이에요?
준병	응?
고대표	서프라이즈~

일동 뒤돌면, 세련된 차림새로 포스 있는 고대표와 그 옆에
승원.

승원	이야. 다음 씨. 스태프들 생각도 해주고. 역시 우리 주인공이다.
다음	(인사하고) 고대표님이 보내주신 거에요?
고대표	(끄덕) 나도 한 잔 마실까?
승원	뭐 드시겠어요. 따뜻한 거?

79

Episode 8

고대표	아이, 전 무조건 아이스예요.
승원	(간이 테이블 쪽 보며) 다들 앉아요. (시계 보고) 아직 세팅 중이니까. 밀크티 한 잔 하자고. 아, 재인 씨도 왔네. 한 잔해요.

흡연을 막 끝내고 온 것 같은 재인. 멀리서 고대표를
알아보고 인사를 하러 왔다가…
커피차에 걸린 플래카드와 사진, 눈앞에 있는 다음을
마주하고서 굳는.
고대표는 그런 재인에게 아무렇지 않게 웃으며 인사하는데.

고대표	오랜만이네, 재인 씨.
재인	아, 네… 안녕하세요. 대표님…
승원	우리 고대표님 정말, 모르는 배우가 없으시네. 구면이에요?
고대표	결이 좀 비슷한 것 같아서, 가볍게 미팅 한 번 했어요. 그쵸?
승원	(무슨 말인지 알겠다) 대표님이랑, 재인 씨… 결이 비슷하긴 하죠. (호탕하게 웃는다)

고대표의 말에 재인, 계속 굳은 채로… 다음과 눈
마주치는데, 그런 재인을 복잡한 표정으로 바라보고 있는
다음. 제하 역시 그런 다음을 의식하고.

80   **#19. 삼척 촬영현장. 서점 일각. 밖. 낮.**
분장차에서 나온 정우를 앞에서 기다리고 있던 서영.
어젯밤 이후 처음 만난 두 사람. 잠시 어색하게 보다가,

정우	차 씬은 잘 끝냈어?
서영	고대표가 왔어.
정우	대표님이?
서영	같이 가주라.

#20. 삼척 촬영현장. 커피차 앞. 밖. 낮.

18씬 이어서.

승원	(고대표 치켜세우는) 자기 소속도 아닌 배우한테 이러기 쉽지 않은데… 고대표님의 삼고초려, 눈물 난다.
고대표	삼고초려는 무슨, 3초도 고려를 안 하더라고,
승원	(순간 새어 나오는 웃음 참고) 아, 아니… 그래도
다음	…전 이미 매니저님이 있어요. 저를 잘 알고, 각별하게 신경 써주시고 계세요. 지금 매니저님만 있으면 충분합니다.
고대표	(웃으며) 그래요? 혹시, 감독님한테 세뇌당한 거 아냐?
다음	(웃으며 받아친다) 대표님. 저 그렇게 바보 아니에요.
고대표	(아무렇지 않게) 아님 말고.
제하	(다음의 태도에 웃음 참으며 음료 마시고) 이거, 맛있네요.
승원	(멀리서 정우와 서영 발견) 어, 정우 씨, 서영 씨. 여기 여기.

81

서영, 모여 있는 이들과 커피차에 달린 배너 훑어보고… 서영,

정우 합류.

> 고대표   우리끼리니까 하는 얘기지만 둘이 너무 붙어
> 다니지 마.
>
> 정우   아이, 대표님도 참.
>
> 서영   (시선은 고대표에게) 잘 마실게. 다음 씨.
> 근데 다음 씨 부담스럽겠다. 원하지도 않는
> 응원.
>
> 고대표   당장은 그런데, 또 모르지. 우리 배우가 될
> 수도 있고, 우리 서영이가 다시 내 응원을
> 원할 수도 있는 거고.
>
> 다음   (두 사람의 묘한 분위기가 불편하다)

제하, 불편해하는 다음이 신경 쓰인다.

> 제하   현장으로 갈까요? 세 분이 처음으로 같이
> 촬영하는 씬이라 기대되는데.

제하, 현장 쪽으로 가고 다음 바로 따라간다. 서영, 정우,
재인도 이동하고.
남겨진 승원과 고대표.

> 승원   (음료 홀짝이며) 대표님이랑 결은 서영 씨가
> 제일 비슷하네.
>
> 고대표   (서영 쪽을 노려보며) 그래서 놓을 수가 없는
> 거죠.

82

#21. 삼척 촬영현장. 서점 안. 낮.

다음, 정우, 서영 서점 안에서 리허설 중이다. 제하는 옆에
서서 보고 있고.

<blockquote>

서영   싸구려 동정이랑 사랑을 구별 못 해?

정우   나가, 나가서 얘기해.

서영   (다음에게) 그쪽이 말해 봐. 죽을 날
              받아놓은 사람이 (잠깐 멈칫하고)… 무슨
              염치로 사랑을 해?

다음   (대사지만 너무 아프고…)…

제하   (다음의 표정을 살피며) …네… 좋네요.
              이렇게 한번 해보죠.

서영   대사가 너무… 잔인하다. (원위치하는)

</blockquote>

제하, 서영의 말이 신경 쓰이지만 내색할 수 없고…
그런 제하를 바라보는 다음 역시, 무언가 망설이는 표정.

CUT TO.

리허설 하던 장면, 촬영에 들어간다.

<blockquote>

정우   나가, 나가서 얘기해.

서영   그쪽이 말해 봐. 죽을 날 받아놓은 사람이
              무슨 염치로 사랑을 해?

다음   …

</blockquote>

83

씬의 끝에 다다르자… 모니터를 보고 있던 제하, 컷을 하려고
하는데.

다음	(자기도 모르게, 내뱉는) 왜 못해요. 더 찐하게 더 제대로 하지.
서영	(잠시 생각하다 바로 받아준다) 그 짧은 시간 동안 대체 뭘 할 수 있는데!
다음	뭐든요. 그게 사랑이든 제대로 된 작별이든.
서영	…이기적이네. 철저히 떠날 사람 입장에서.
다음	!!

다음과 서영의 갑작스런 애드립에 모두가 집중하고.
제하, 유홍에게 컷 사인 신호 주고.

서영	잠시만요.

서영, 급하게 현장을 떠나는데,
사람들 웅성거리고, 승원과 고대표 역시 이를 흥미롭게
지켜보는…

#22. 삼척 촬영현장. 서점 안. 낮.

모니터 테이블에 있던 제하, 다음이 심상치 않아 보여
일어서는데, 뛰어오는 유홍.

유홍	감독님. 서영 배우님이…
제하	!?
유홍	잠깐 시간 좀 달래요. 가보셔야 할 것 같아요.
제하	…내가 가볼게.

84

제하, 다음이 계속 신경 쓰여 보고, 걱정 말라는 눈치주고,
가는.

은호, 제하와 다음이 시선을 주고받는 것을 목격하고, 묘하게
신경 쓰이는 표정.

#23. 삼척 촬영현장. 서점 일각. 낮.

빠른 걸음으로 향하는 제하, 그때 옆에서 정우가 따라오고.

> 정우   제가 가볼게요, 감독님.
>
> 제하   정우 씨, 걱정되는 건 알겠는데. 지금은 제가
>   가는 게 맞는 것 같네요.
>
> 정우   어젯밤부터 상태가 안 좋아요. 비에 젖어
>   감독님 만나고 온 후부터요.
>
> 제하   …
>
> 정우   서영이 일과 사생활 구분 못 하는 그런 사람
>   아니거든요. 근데 감독님만 있으면 자꾸
>   이상한 마음을 먹어요. 다 끝난 일이다.
>   상관없는 일이다. 모르는 일이다. 언제까지
>   그러시게요?
>
> 제하   지금까지요. 저도 이제부턴 안 피할 겁니다.

정우를 그대로 지나쳐 서영의 밴 앞으로 향하는 제하.
그런 제하의 뒷모습을 노려보고 있는 정우…

#24. 삼척 촬영현장. 서영의 밴 안. 낮.

민희가 문을 열어주면, 서영이 침울한 표정으로 앉아 있다.
들어가 옆 좌석에 앉는 제하. 문이 닫히고.

> 서영   방금… 규원이랑 정화는 없고 이다음이랑
>   채서영이었어.

제하	(듣고 있는) …
서영	나 방금, 정화를 빌려다가 내가 하고 싶은 말 했어. 이다음에겐 너무 잔인한 말이었고… 프로답지 못했어.
제하	…너 잘못한 거 없어. 이해해.
서영	…! 꼭 그때 같네.
제하	(?)
서영	〈청소〉 찍을 때. 내가 못 찍겠다고 화장실에 숨어 있을 때 지금처럼 감독님이 나 데리러 왔었잖아.
제하	(!)

INS. 4부 2씬. 화장실로 찾아와 서영을 달래는 제하.

제하	**이건 비밀인데, 내가 잘 몰라서 이 영화를 만드는 거예요.**
서영	**뭘 몰라요?**
제하	**사랑한다는 게 뭔지.**

제하를 쳐다보는 서영의 모습에서…

서영	그때는 모른다며. 지금은 알아?
제하	…알 것도 같아서.
서영	…!
제하	방금. 좋았어. …애드립도 그대로 쓸 생각이야.
서영	!?
제하	배우로서 너 이렇게 힘들어하는 거, 감독으로서 미안하게 생각해.
서영	배우로서… 감독으로서… 선 제대로 긋네.

86

뻔뻔하게.

제하   응. 여긴 우리 일터니까.

텅텅텅. 밖에서 노크소리에 제하 문 열면,

승원   (서영 상태 보고) 무슨 문제 있어?
제하   아냐. 없어. 잘 끝났어.

제하, 밴에서 내리며 서영에게 인사하며 문을 닫고.

승원   (작게) 처음부터 다시 찍을 거면 노동시간
              문제가 좀 있을 것 같은데…
제하   방금 거 오케이로 가고, 촬영 끝낼게.
승원   오, 그럼? 스탭들 철수 시켜?

고개를 끄덕이는 제하, 무전기를 입에 갖다 대는.

제하   조감독님. 방금 컷 오케이로 가고. 철수
              시켜주세요. 모두 고생하셨습니다.
승원   촬영 첫 주차 사건사고가 벌써 이렇게 생겼네.
제하   이게 무슨 사건사고라고.
승원   배우가 잘 찍어놓곤 얼굴이 사색이 돼서 차
              안으로 쪼르르 숨었고, 감독이 따라 나와
              한참 얘기하고. 사람들이 퍽도 아무 일
              없다 생각하겠다? 서영 씨 좀 잘 챙겨. 너무
              이다음만 챙겼잖아.
제하   (승원 본다) …
승원   뭘 새삼스럽게 쳐다보냐. 이게 내 입에서만

87

나오는 소리일까 봐서? 나도 내 일 하는 거다.
감독님. 중심 좀 잘 잡아.

#25. 삼척 촬영현장. 서영의 밴 안. 낮.

서영, 차 안에서 눈을 감고 자책하듯 머리를 쓸어넘기고
눈을 감고 있는.
누군가 문을 노크하는데, 정우다. 문 열고.

> 정우   괜찮아?
> 서영   이따가. 이따가 얘기해.

서영의 대답에 잠시 서 있다가… 닫고, 잠시 차를 보다
가버리는 정우.

#26. 삼척 촬영현장. 서점 안. 낮.

스태프들, 대기 상태로 있는데, 유홍,

> 유홍   오케이고요! 모두 고생하셨습니다!!

스태프들 기분 좋은 환호로 답하고.
다음도 연신 스태프들에게 인사하면서 서영이 나간 곳을 훑는.
은호, 장비를 내려두고 다음에게 다가가려는데… 철민이
와락 안으며 말을 걸고.

> 철민   너 이렇게 잘하면 보내주기 싫어…

철민에게 안긴 채로 시선은 계속 다음을 따라가는…
다음, 급하게 촬영장 밖을 나가 어디론가 향한다.

#27. 삼척 촬영현장. 서점 일각. 낮.

서영의 밴 앞으로 다가오는 다음. 노크를 하는데,

> 서영　　　이따가 얘기하자니까.
> 다음　　　저… 다음이에요, 선배님.

잠깐의 정적. 잠시 후에 서영이 문을 열어주는.

#28. 삼척 촬영현장. 서영의 밴 안. 낮.

철수하느라 시끄러운 바깥과는 달리 조용한 밴 내부.
조용한 정적만이 감돌고…

> 다음　　　죄송해요. 미리 상의도 없이 멋대로 대사
> 　　　　　치고… 많이 당황하셨죠.
> 서영　　　리얼했어. 덕분에 나도 그 감정 받아서
> 　　　　　자연스럽게 나왔구. 감독님도 오케이 했잖아.
> 　　　　　그건 마음 쓰지 마.
> 다음　　　오늘 아침에 눈을 떴는데… 제가 오늘도 살아
> 　　　　　있더라고요.
> 서영　　　(보는)…
> 다음　　　이렇게 아침에 눈 뜨는 것도 기적인 내가
> 　　　　　너무 큰 욕심을 부린 건가. 사람들 마음
> 　　　　　불편하게 하면서까지 욕심부리는 게
> 　　　　　맞나… 그런 생각 중에 정화의 말이 저한테
> 　　　　　꽂혔어요. 그래서…
> 서영　　　다음 씨만 그런 거 아냐. 나도 헷갈려. 정화의
> 　　　　　말인지. 내가 하고 싶은 말인지. 그리고
> 　　　　　우리가 이러는 게 맞는 건지.

89

다음	규원이도 저도 투병 중인 시한부예요. 그런데, 아직 이렇게 살아 있는 시한부예요.
서영	…
다음	저 이 영화가 …정말 하고 싶어요.
서영	(냉정하게) 그래. 그 마음 모르는 건 아닌데.
다음	아니요. 모르실 거예요. 매일 밤 살고 싶다고 매달려요. 그렇게 눈 뜨면 하루 얻었구나. 어쩌면 오늘이 마지막이겠구나 싶어요. 정말 저는 여기에 다 걸었어요. 내 마지막 시간을.
서영	그래서. 어떻게 해줄까? 입 다물고 모른 척?
다음	…네. 이기적이지만 전 지금… 모른 척해달라고 부탁드리고 싶어요.
서영	뭐?
다음	부탁드립니다. 안 죽을 거예요. 이 영화 다 찍기 전까지 전 무조건 살아서… 꼭 이 영화 완성할 거예요.
서영	…솔직하네. 그럼 나도. 이제부터는 솔직해져볼게. 다음 씨가 다음 씨 생각만 한다면, 나도 그래볼게.

다음과 서영, 서로를 팽팽하게 바라보다,
다음, 꾸벅 인사하고 차에서 내린다. 서영, 생각이 많은 표정.

#29. 삼척. 79대포 포차 안. 저녁.

90 파전에 막걸리 한상 앞에 둔 승원과 제하.
슬러시 막걸리를 저어 잔에 콸콸 따르는 승원.

| 승원 | (제하 잔에도 따르고) 너도 한잔… 아, |

짠이라도 해. 임마.

제하   (무심히 파전 먹고) 맛있네. 먹어봐.

승원   (막걸리 마시고, 파전 하나 먹으며) 크으으…
         달다. 그래, 먹자. 조합이 좋다. 우리 둘처럼.

제하   형은 이 영화에서 뭘 얻고 싶어?

승원   …너, 막걸리 마셨냐?

제하   궁금해서.

승원   부승원은 마이다스의 손이다. 내가 손대는
         건 다 돈이 된다.

제하   정말 그게 중요해?

승원   영화 돈으로 찍지만 돈으로만 만들어지지
         않는다는 거. 나도 알아. 그치만 난
         돈 중요하다. 그게 여기 딸린 사람들
         밥줄이니까. 난 그거까지 책임져야 되거든.

제하   (슬러시 막걸리 따라주고) 그건 나한테도
         해당 되지.

승원   됐네요. 감독이 뭐 그런 거까지 신경 써. 넌
         뭘 얻고 싶은데? 아빠 없이도 잘 해요?

제하   …막상 영화를 찍어보니까, 자꾸만 까먹네.

승원   ?

제하   이두영이 어떤 사람인지, 나한테 그게
         그렇게까지 중요했는지…

승원   (표정 묘하게 굳고) 까먹지 마라. 너 그거
         끝까지 품고 찍어. 그래야 작품 나온다. 맨
         첨에 이 영화 너한테 하잔 거. 나 후회 안   91
         한다. 왜냐, 넌. 똑똑한 놈이거든. 영화만
         생각하지만, 또, 영화가 영화만으로 안
         된다는 것도 아주 잘 이해하는 놈.

Episode 8

승원 접시에 파전 하나 올려주는 제하.

> 승원　　너 뭔가 변한 것 같다. 아니지, 변하고 싶은 것
> 　　　　같아.
>
> 제하　　···모르겠네. 내가 변할 수 있는 사람인지.
>
> 승원　　사람은 다 변해. 모쪼록 흥행하는 쪽으로
> 　　　　변하자.

#30. 삼척. 리조트 앞 일각. 밤.

혼자 터덜터덜 걸어오는 다음과 입구에서 마주치는 승원과
제하.

> 승원　　(취기 오른) 다음 씨!
>
> 다음　　아, 네!
>
> 승원　　우리 한 잔 더 할 건데, 다음 씨도 같이?
>
> 다음　　저는··· (머리 짚고) 아우 머리야. 저도 좀
> 　　　　취했어요.
>
> 승원　　어··· 벌써 저녁 먹으면서 마셨구나! 어, 근데
> 　　　　술을 마셨던가?
>
> 다음　　아뇨 분위기에 취했어가지고. 저는 좀··· 깨고
> 　　　　가야겠다.

다음, 슬슬 뒷걸음질치고. 승원, 내심 눈치채지만 아무렇지
않은 척 홀로 들어가는.

92

#31. 삼척. 리조트 앞 골목길. 밤.

천천히 걷고 있는 다음의 뒤로 제하의 그림자가 겹쳐진다.

다음	(돌아보면, 좋고, 다시 걷고) 왜 따라와요?
제하	위험해요. 여기 막 들개도 돌아다니고.
다음	(가까이 가 냄새 킁킁) 역시 술 안 드셨네.
제하	…
다음	잘 됐다. 동네 산책 할래요? 저~ 끝에 가면 등대도 있는데.
제하	아뇨. 그렇게 오래 걸으면 안 돼요. 이다음 씨.
다음	그럼… 오래 앉아 있는 건요?

#32. 삼척. 리조트 서영 방 안. 밤.

서영, 문 열고 들어오면 고대표가 앉아 있다.

서영	(시선 안 주고) 왜 이렇게 요란스럽게 와요.
고대표	너도 촬영을 요란스럽게 했던데?
서영	대표님 탓도 크지 않았을까?
고대표	아까 보니까 서운한 눈치더라.
서영	(겉옷 벗으며) 서운한 게 아니라… 창피했어요.
고대표	…이다음 보러온 것도 맞지만 오늘은 너랑 짚고 넘어갈 게 있어서.
서영	뭔데요.
고대표	계약 어떻게 할 거야?
서영	나 필요해요?
고대표	물론이지.
서영	난 대표님 안 필요해요. 협상 결렬. 나 좀 쉽게 가주세요.
고대표	(비웃고, 일어서며) 필요한 게 뭐야? 얘길 해. 들어나 보게.

93

서영	…
고대표	돈?
서영	…
고대표	요새 잘나가는 감독 시나리오 나한테 다 있어. 이것도 싫어?
서영	…진정성.
고대표	뭐?
서영	대표님한테 없는 걸 요구하는 게 아닌데.
고대표	…
서영	우리 원래 안 이랬는데… 어쩌다 이렇게 됐을까.
고대표	(잠시 서영 보다) 쉬어라.

고대표 나가고, 서영, 침대에 털썩 앉는다.

#33. 삼척. 바닷가 앞. 밤.

부서지는 밤바다 소리. 벤치에 앉아 밤바다를 보는 제하와 다음.

다음	여긴 우리 영화팀 사람들 안 오겠다. 그쵸.
제하	(끄덕이고)
다음	(불편한 듯 들썩거리고)
제하	추워요? 들어가요.
다음	아니 그게 아니고… 왜 이렇게 불편하지… 안 되겠다.

94

하늘 보며 누워버리는 다음.

제하	뭐해요?

다음	파도 소리도 듣고 싶고, 별도 보고 싶고,
	감독님 얼굴도 보고 싶어서요.

그렇게 눈을 감고 파도 소리를 듣는 다음.
그 모습을 처음으로 가까이서 천천히 바라보는 제하.

다음	어제… 왜 그렇게 바보같이 가만히 있었어요?
제하	…
다음	진짜 바보 같더라. 어느 미친 시한부가
	쫓아다니면서 영화 출연시켜 달라고
	사정사정을 했다. 목숨 걸고 덤비길래 넘어가
	줬다. 이렇게 말함 될걸…
제하	…내가 서영이랑 풀지 못한 문제가 있어요.
	이다음 씨 때문이 아니라, 내 문제가 이다음
	씨한테 피해를 준 거예요.
다음	정확히는, 우리 문제죠. 감독님. 네 문제 내
	문제가 어딨어요… 우리 사이에. (제하와 자기
	가리키며) 우린 운명 공동체. 계약서로 묶인.
제하	(픽 웃고)
다음	(몸 일으켜 앉고) 감독님과 서영 선배의 일…
	난 잘 모르지만 감독님도… (어깨 가볍게 툭)
	너무 쭈그러들지 마요.
제하	(고맙고, 보며) 이다음 씨가 왜 자꾸 나를
	걱정하지?
다음	(똑바로 보고, 바로) 좋아하니까요.
제하	(당황) 다음 씨는 다음 씨 걱정만 해요.
다음	감독님은 왜 자꾸 나를 걱정해요?
제하	…(말이 나오질 않고)

95

Episode 8

다음   (기다리다 실망하고, 일어서는) 추워요. 가요.

제하, 말없이 일어나 다음의 뒤를 따라간다. 그때, 전화벨이
울리고.

#34. 삼척. 리조트 앞 주차장 일각. 밤.

차 앞에서 기다리고 있는 고대표. 제하가 다가가고.
제하 발견하자 조수석에서 잔뜩 쇼핑백을 꺼내 주는.

고대표   이거. 이다음 씨한테 전해주세요. 감독님하고
            각별히 친해 보여서.
제하   (받아들고) 네. 전하겠습니다.
고대표   늦은 시간에 죄송해요. 전 이제
            올라가려구요.
제하   조심히 올라가세요.
고대표   (차에 타려다 말고) 이다음 씨랑 사귀어요?
            서영이가 그거 질투하고?
제하   좀 무례하신 것 같네요.
고대표   무례했다면 죄송해요. 감독님. 난 한 번 데인
            적이 있으니까.
제하   …
고대표   이다음도 이다음이지만, 우리 서영이
            흔들지 마요. (차 문 열고) 설령 서영이 혼자
            흔들린다고 해도, 최소한 그때처럼 상처는
            주지 마요.

차를 타고, 떠나는 고대표. 제하, 한숨 쉬는.

96

#35. 삼척. 리조트 주차장. 아침.

다음날. 준병, 분주히 조수석과 뒷자리 정리하고 있는데,

제하	준병아.
준병	어, 형. 다음이 내려오라고 할까?
제하	다음 씨 내 차로 데려갈게.
준병	(잠시 생각하다 의미심장한 눈빛으로)
	왜에에?
제하	어차피 난 올라가야 하는데, 너까지 갈 필요
	없잖아. 쉬고 있어.
준병	형. 내내 촬영하느라 피곤하잖아. 그리고
	운전 별로 좋아하지도 않으면서.
제하	아냐. 좋아. 그리고 안 피곤해.
준병	(제하에게 바짝 붙는다) 형은 평소에 운전을
	싫어했어. 그 운전 내가 대신 해주다가
	다음이 매니저로 스카웃까지 됐으니까.
제하	(뒤로 물러서며) 왜 이래.
준병	평소엔 싫어하던 게 갑자기 아무렇지
	않아지고… 피곤한지도 모른다면… 이게
	말로만 듣던 그런 건가? 그거 있잖아…
	그거… 사랑?
제하	야. 너 일로 와. 네가 운전해.

준병, 쏜살같이 올라가고, 제하, 당황스럽게 그런 준병을 본다.

#36. 삼척. 리조트 로비. 아침.

유홍, 창가 쪽 자리에 앉아서 노트북으로 작업하고 있는.
주차장에서 올라온 준병, 유홍 발견하고 유홍에게 온다.

Episode 8

유홍	(조용히) 제발 오지 마라… 제발.
준병	조감독님!
유홍	하아… (방긋 웃으며) 네, 매니저님.
준병	(방긋 웃는 유홍에 잠시 넋이 나가고)
유홍	?? 매니저님?
준병	(정신 차리고) 아하. 허. 왜 혼자서… 쉬는 날…
유홍	일이 많아서요. 이게 나름 쉬는 거예요. 쉬면서 일하잖아요.
준병	와. 진짜 좋은 감독님 되실 것 같아요, 조감독님은.
유홍	(억지웃음, 손 내젓고) 그런 거 안 해요. 아, 휴차라 올라가시죠?
준병	(코 쓱 긁으며) 아니요. 저 안 가요.
유홍	어… 다음 씨 안 올라가요?
준병	다음이는… 아이 그런 게 있어요. 비밀, 비밀.
유홍	(별로 안 궁금하다) 아, 네에.
준병	근데… (유홍 옆에 앉으며) 조감독님은 그거 다 하고 뭐하세요?

당황해서 말없이 눈을 깜빡거리는 유홍.

#37. 삼척. 리조트 앞 주차장. 아침.

제하가 다음의 짐을 대신 들어주며 차 앞으로 오는.

다음	(괜히 좋아서) 아이, 참, 매니저님은 어떻게 배우를 감독님하고 둘만 보낼까.
제하	(무시) 조수석이 지저분해서, 뒤에 타요.

제하, 뒷좌석 열어 짐 실어주는. 다음 조수석 문 열어
지저분한 짐을 뒷좌석으로 옮기는.

> 다음   앞에 탈래요. 제가 치울게요.
> 제하   아, 그거 다 이다음 씨 거예요. 고대표님이
>   선물하는 거라고.
> 다음   아… 이거 다요?
> 제하   막무가내로 주니 받을 수밖에 없었어요.
>   이따 챙겨요.

짐을 같이 옮긴다.

#38. 달리는 차 안. 아침.

> 제하   밥 먹었죠?
> 다음   네. 매니저님이 엄청 챙겨주세요. 꼬박꼬박.
> 제하   먹는 거에 예민한 놈이라서.
> 다음   감독님. 저 데려다 주고 민석쌤 보고 그냥…
>   가요?
> 제하   네.
> 다음   어디 가요?
> 제하   어머니 뵈러요. 오늘이 기일이거든요.
> 다음   …(끄덕이고)
> 제하   검사 잘 받구요. 몸은 괜찮아요?
> 다음   그럼요. 요샌 내가 아픈 것도 까먹을
>   정도예요.
> 제하   …

99

#39. 한국대병원 로비 안. 아침.

희태, 인포메이션 자리로 가 묻는다.

> 희태   유전학센터 이정효 교수님 찾아왔는데요.

#40. 한국대병원 정효 교수실. 안. 아침.

앉아서 논문을 보던 정효. 시계를 보다, 일어서서 창밖을 본다.
다음을 기다리는 듯.

#41. 한국대병원 지하주차장 안. 아침.

다음을 데려다 주는 제하.

> 다음   아 맞다! 짐!
> 제하   아, 그거 내가 갖다 줄…
> 다음   그거! 갖다주지 마시구요. 저를 좀
>   기다려주세요.
> 제하   네?
> 다음   이거 검사하고, 처방받고, 아빠 잠깐 보면 세
>   시간이면 끝나거든요? 아직 오전이잖아요.
>   밑에서 식사하시면서 저 좀 기다려 주세요.
> 제하   왜요?
> 다음   (딱히 할 말 생각 안 나고) 뭘 맨날 왜요,
>   왜요. 같이 가고 싶으니까 그렇죠.
> 제하   나 이따 갈 데 있다고 얘기한 것 같은데.
> 다음   가세요. 그땐 내가 기다려줄게요. 우리 오늘
>   같이 다녀요!
> 제하   굳이…
> 다음   굳이? 나 굳이라는 말 제일 싫어해. 굳이

100

	같이 갈 수 있죠!
제하	(픽) 참… 알았어요. 기다릴게요.
다음	(좋아서) 진짜죠? 씩씩하게 받고 올게요! 안녕!

다음 들어가고, 그 자리를 한참 있다 가는 제하.

#42. 한국대병원 유전학센터 복도. 낮.

복도에 도착한 희태, 바깥에서 안내하던 간호사1에게 다가가고.

희태	이정효 교수님 오늘 계신가요?
간호사1	교수님 오늘 휴진입니다.
희태	에? 아이… 허탕 쳤네. 뭐, 내일은 나오세요?
	아! 혹시 (다음이 사진 보여주며) 이 분
	아시나요?
간호사1	(순식간에 얼어붙고, 시치미) 모르겠는데요.
희태	(간호사 의심스럽게 보다) 뭐, 내일 또 올게요.

희태 가고, 간호사1 걱정스럽게 본다.

#43. 한국대병원 민석 교수실 안. 낮.

민석의 교수실 안에 있는 전신거울 문구를 빤히 보는 제하.
〈마음먹은 만큼 행복하세요〉 핸드폰을 꺼내들고 문구를 찍는.

민석	(커피 테이블에 내려놓고) 그거 다음이가
	만들어줬어요. 자기 생일 선물로.
제하	(귀여워서 웃음 나고) 자기 생일인데 왜
	교수님한테…
민석	가만 있어봐. (달력 보고) 오늘이네…

101

제하	(!) 오늘이 다음 씨 생일이에요?
민석	네. 이따 축하한다고 해주세요.
제하	(끄덕이고) 네…
민석	일주일에 한 번씩 내가 촬영장으로 갈게요. 이제부터 정말, 하루하루가… 불안해서.
제하	네. 미리 연락 주시면 도와드리겠습니다… 저, 교수님.
민석	!?
제하	(맘 아프고) 이다음 씨… 살 수는 없나요?

민석, 대답 대신 커피를 마시고…
제하, 그게 대답인 것 같아. 마음 아프고.

민석	같이 갈 데가 있어요.
제하	…?

#44. 한국대병원 검사실 안. 낮.

이어플러그를 낀 채로 MRI 검사를 받는 다음.
마음이 무겁고… 떨리는 다음의 손… 떨지 않기 위해 애써
힘을 꽉 쥐어본다.

#45. 한국대병원 검사실 밖. 낮.

검사 중인 다음을 보고 있는 민석과 제하.
정효가(평상복 차림) 들어오자 민석이 나가고, 제하,
인사하는.

102

정효	언제 오나 한참 기다렸는데, 처음 보는 게 딸내미 누워있는 모습이네.

제하	…
정효	촬영은 어때요? 다음이 잘 적응하나요?
제하	본인도 아픈 걸 까먹는다고 할 만큼. 밝게 웃으며 잘하고 있습니다.
정효	그놈의 뻥은.
제하	!?
정효	엄청 아플 거예요. 그냥 버티는 거예요.
제하	…
정효	아프고 힘들면 더 웃어요. 웃을 때 의심해봐야 돼요.
제하	(보면, 아픈 정효의 얼굴, 죄송함에) …

다음을 다시 보는 제하. 자세히 보면 다음의 손이 미세하게
떨리고 있고, 표정에서도… 느껴진다. 항상 밝았던 다음한테선
볼 수 없었던 모습.
바라보는 제하의 표정에도 슬픔이 서려있다…
그런 제하의 표정을 보던 정효.

정효	감독님은 어때요? 잘 적응하고 있나요?
제하	!
정효	예정된 시간이 다가올수록… 감독님의 선택을 후회할 수 있어요.
제하	교수님…
정효	그래도… 다음이가 많이 웃는 만큼, 감독님도 많이 웃었으면 좋겠네요.
제하	…네. 저 그렇게 마음먹었습니다.
정효	(웃어준다)

103

Episode 8

#46. 한국대병원 정효 교수실 안. 낮.

정효, 냉장고에서 케이크를 꺼내 테이블에 올려놓고 라이터로
초를 붙이는.

어둑한 교수실이 아늑하게 빛나고.

다음	뭐야…
정효	얼른 불어.
다음	(왈칵, 눈물이 차오르고)
정효	생일 축하해.
다음	(앉아서 두 손 모아 기도하고, 부는)

다음, 일어나 포크와 접시 챙겨와 앉고. 케이크를 푹 떠서
가득 먹는.

근데… 계속 눈물이 난다.

정효	자꾸 울어 왜. 생일날.
다음	나 원래 맛있는 거 먹으면 눈물 나.
정효	이럴 때 보면 지 엄마 똑 닮았네.
다음	(눈물 닦으며) …너무 맛있다.
정효	(눈시울 붉어지고, 맘 아프고)
다음	(정효 보고) 왜 이렇게 살이 빠졌어? 집에도 안 가고 또 여기서 살지?
정효	아냐.

104 다음, 정효를 천천히 보는데… 짠하다. 외로워 보이기도
하고… 울컥 눈물이 나고.

다음	(눈물 닦고) 아이씨… 느끼해. 아빠 나 초코

	좋아해.
정효	다음엔 초코케…
다음	(OL) 아까 엄마한테 기도했어. 울 아빠… 마음 좀 안 아프게… 해달라고. 그런데도 아프면… (웃으며) 그건 아빠 책임이다.
정효	(눈물 참고) 촬영은 잘하고 있어?
다음	응. 끝내줘. 와. 이런 세상이 있구나 싶어.
정효	감독님이 너한테 잘해줘?
다음	(웃으며) 아니. 내가 잘해주지. 내가 엄청 잘해줘. 잘해주지 말라고 그러면 더 이 악물고 잘해줘.
정효	(웃고) 우리 딸답네. 그 감독님 잘못 걸렸네.
다음	우리 아빠, 웃는 얼굴 오랜만이다.

눈물은 그렁한데 말없이 웃으며 케이크를 먹는 두 사람의 모습.

#47. 삼척 시내. 식당 안. 낮.
유홍과 준병 앞에 놓이는 식사. 물회와 해물뚝배기.

준병	이게 옳게 된 삼척이지. 그쵸?
유홍	갑자기 밥은 왜…
준병	그 드라마 보니까, 조감독이랑 매니저랑 좀 각별하더라고요.
유홍	대체 어느 드라마가 고증을 그렇게 엉망으로.
준병	제가 모르는 게 많아요.
유홍	(?)
준병	배우도 신인, 매니저도 신인? 암튼, 다음이한테 내내 미안해서요. 실례가 안

105

된다면… 좀 귀찮으시더라도 이것저것 좀
자주 여쭤보고 싶은데, 괜찮을까요?

유홍   (열심인 모습, 의외고) 뭐, 그 오지랖이 나름
이유가 있는 거였네요. 이거 사면 생각해
볼게요.

준병, 괜히 좋아하고, 유홍, 그런 준병 보고 슬쩍 미소 짓는다.

#48. 삼척 시내. 아웃도어 의류매장 안. 낮.

철민은 뻘쭘하게 서 있고, 진미는 전투적으로 옷을 고르는.

철민   저 그냥 까만 거. 아무거나…
진미   (째려보고) 그냥 까만 거란 건 없어요. 촬영
감독님이면서 미적 감각이 그렇게 떨어지나?
블랙도 다 다르다고요.
철민   왜 이렇게 전투적으로…
진미   이거 입어 봐요.
철민   엑스라지면 다 맞아요.
진미   왜 이렇게 인생을 띄엄띄엄. 이런 점퍼는
핏으로 한 끗 차이를 만든다구요.
철민   (입던 점퍼 벗고)
진미   (뒤에서 옷 입혀주는)
철민   (…좀 떨리고)
진미   어. 좋다.
철민   그러게요. 이거 좋네요.
진미   잘생겨 보인다.
철민   네?
진미   (정신 차리고) 아니, 옷이 날개라고요. 훨씬

106

낫네. 이거 사요.

진미, 카드 꺼내려하자 자기 카드를 내는 철민.
철민의 손을 잡고 카드를 빼앗아 주머니에 넣는 진미.

　　　진미　　　(자기 카드 내고) 여기요. 치사하게 왜 이래요?

철민, 그런 진미 보고 미소 짓는다.

#49. 한국대병원 로비 낮.
다음, 기다리고 있는 제하에게 가서,

　　　다음　　　(밝게 웃고) 오래 기다렸어요?
　　　제하　　　(빤히 보며, 입가에 크림 가리키고)
　　　다음　　　응?
　　　제하　　　여기. 뭐 묻었는데.
　　　다음　　　어디?
　　　제하　　　(소매로 살짝 닦아주고, 바지에 슥 닦고)
　　　다음　　　(부끄럽고) 아, 케이크 먹어서…

바로 앞 카페테리아에 앉아 있던 희태가 이들을 발견한다!

　　　제하　　　(희태 알아보고, 굳고)
　　　희태　　　(알아보고, 일어나 다가오는) 어? 이제하
　　　　　　　　감독님!　　　　　　　　　　　　　　107

긴장되는 분위기. 제하가 다음의 앞을 살짝 막으며,

Episode 8

희태	맞네요. 이렇게 보네. 그것도 이다음 씨랑?
제하	무슨 일이시죠?
희태	(눈 반짝이는) 감독님은 이다음 씨랑 무슨 일이시죠? 병원에는?
제하	그게 왜 궁금하시죠?
희태	아, 실례했다면 죄송합니다. 이다음 씨 기사 제가 냈잖아요. 너무 반가워서 그만.
제하	그럼.

제하 다음과 떠나고, 그 자리에서 뒷모습을 사진 찍는 희태.
웃음을 머금으며…
고대표에게 보내려 사진을 첨부하다 취소하고,

희태	더 비싸게 쓸 수 있는 카드가 될 거 같은데…

#50. 꽃집. 안. 낮.

1부 12씬에 나온 꽃집. 제하가 다음을 따라 쭈뼛거리며
따라오고.

다음	쌤!
플로리스트	다음 씨, 오랜만이야!
다음	말씀드렸던 꽃은…
플로리스트	응 알리움이랑 국화랑 안개초. (작게) 근데 누구?
다음	아, (스윽 제하 훑어보며) 좀 빠른 속도로 알아가는 남자?
플로리스트	(웃음 터지고) 안녕하세요.
제하	(당황, 헛기침) 안녕하세요. 다음 씨 여긴 왜.

108

다음	앉아요.

다음, 제하 앉히고 맞은편에 앉아 세팅된 꽃으로 꽃다발을
만드는.
제하에게 쪽가위로 가지치기 시키고.

제하	(옅게 웃으며) 이거 만들어서 누구 주게요.
다음	…감독님 어머니요.
제하	(놀라고, 고맙고…) …좋아하시겠네.
다음	그러니까 똑바로… (보면 너무 잘한다) 잘하고 계시네. 나만 잘하면 되겠다.

CUT TO.
꽃다발을 제하에게 주는.

다음	이거 가져갑시다. 감독님도 만드는 데 일조했으니까 아들이 만들었다고 생색도 좀 내시고.
제하	이 보라색 꽃. 특이하네요.
다음	알리움이에요. 무한한 슬픔.
제하	!?
다음	꽃말이 무한한 슬픔이라구요. 사랑하는 사람이 옆에 없다는 건 무한히 슬프잖아요. 그 슬픔의 끝을 아는 사람은 아마 없을 거예요.
제하	(말없이 듣는다) …
다음	어차피 평생 끌어안고 살아야 하는 거라면, 내 가슴 깊은 곳에 있는 이 슬픔을 사랑할

109

수밖에.

제하   …고마워요.

다음   (웃으며) 꼭 기억하세요.

제하   (같이 웃으며) 네. 그럴게요.

#51. 승원의 사무실. 안. 낮.

회의 중인 승원. 그때, 희태에게서 문자가 하나 날아오고.
텍스트는 없이, 사진만 달랑 오는데. 병원에서 제하와 다음의
뒷모습이 찍혀있는.
이어서 오는 카톡. [대표님도 알고 계세요?] 자세를 일으켜
확인하는 승원.

#52. 납골당 은애 자리 앞. 안. 낮.

손수건으로 은애의 자리를 정성스럽게 닦는 손. 진여다.

#53. 납골당 복도. 안. 낮.

꽃다발을 안고서 제하 뒤를 조용히 따라가던 다음. 멈춰서고.
제하에게 꽃다발 주고.

다음   전 여기서 기다릴게요.

제하   (물끄러미 보고) 같이 가줄래요?

다음   (화색) 네!

#54. 납골당 은애 자리 앞. 안. 낮.

110 안으로 들어선 제하와 다음, 눈앞에 진여가 기도하고 있는
것을 본다.
다음, 제하의 눈치를 보고. 제하, 진여에게 다가간다.

제하	누가 그렇게 와서 여길 닦고 치우나.
	선생님이셨네요.
진여	(보고, 놀라고)
다음	(어색하게 인사를 하고)
진여	(꽃다발을 보고) 예뻐라. 은애가 얼마나
	좋아할까.
제하	(아직은 불편하게 느껴지고)
진여	(다음을 보고) 다시 보죠. 그럼 이만.

진여, 다음과 제하를 스쳐가고. 다음, 뒤돌아.

다음	선생님.
진여	(보면)
다음	(공손히 숙여 인사하는)
진여	(다가와 다음의 손을 잡고)
다음	(벅차고, 떨리는)

진여, 다음을 예쁘게 바라보다 그 뒤에 제하를 본다.
둘의 사이를 짐작하듯 인사하고 돌아서는…
제하, 꽃다발을 안에 넣어두며, 물끄러미 은애를 바라보고.
다음, 그런 제하를 보다 유리 안에 있는 〈청소〉 영화표와
가족사진을 본다.
가족사진에는 은애와 제하만 있다.

#55. 달리는 차 안. 밤.   111
교영의 집 동네로 들어오는 제하의 차.

제하	오늘 고마웠어요.

Episode 8

다 음	내가 고맙죠. 귀찮았을 텐데.
제 하	안 귀찮아요.
다 음	(잘못 들었나?, 좋고)

차가 멈춰서고.

제 하	내일 데리러 올게요.
다 음	(천천히 안색 살피고)
제 하	(옅게 웃고)
다 음	감독님.
제 하	네.
다 음	뭐 하나만 물어봐도 될까요?
제 하	물어봐요.
다 음	처음에 감독님은 〈하얀 사랑〉에 사랑 같은 건 없다고 했잖아요.
제 하	그랬죠.
다 음	지금도 그렇게 생각하세요?
제 하	… 내가 이 영화를 해야 되나 고민하던 때, 김진여 선생님을… 만났고. 나한테 〈하얀 사랑〉의 초고를 찾아보라고 했어요. … 저번에 말했던 거 기억나요?
다 음	이두영 감독님이 쓴 것 같지가 않다고…
제 하	초고에… 어머니의 이름이 있더라고요. 유은애. 〈하얀 사랑〉은 어머니가 썼던 거예요. 아버지가 아니라.
다 음	(맘 아프고)
제 하	그 사실을 알고부터, 모든 게 헷갈려요. 〈하얀 사랑〉에 정말 사랑이 없는 건지, 그저

112

아버지에 대한 미움 때문에 사랑이 없다고
생각했던 건지.

다음	감독님…
제하	그래서… 꼭 찾아내고 싶어요. 〈하얀 사랑〉을 통해 어머니가 하고 싶었던 이야기가 무엇인지. 이두영이 아닌, 유은애가 〈하얀 사랑〉을 통해 진짜 보여주고 싶었던 게 무엇인지.
다음	… 그거 저도 같이 찾아봐도 될까요?
제하	아뇨.
다음	(실망) …
제하	(웃으며) 이미 같이 찾고 있어요. 다음 씨 때문에 모르고 지나갈 것들도 다 들춰보게 되고. 처음 알게 되는 것들도 많아요.
다음	(감동) …

제하와 다음, 서로를 지그시 바라본다. 어색한 공기가 흐르고.
제하, 차에서 급하게 내린다. 다음 호흡 가다듬고 따라 내리고,
제하, 뒷좌석에서 고대표가 준 선물을 꺼내 다음에게 건네주고,

제하	잠깐만.

트렁크에서 화사한 꽃다발을 꺼내고.

제하	생일 축하해요.
다음	?! (받아들고)
제하	오늘 알았어요. 아까 꽃집에서 급하게.
다음	(놀라고, 좋고)
제하	들어가요. 내일 데리러 올게요.

113

Episode 8

떠나는 제하 차를 한참 바라보는 다음.

#56. 교영의 집 안. 밤.

다음, 짐 가득 들고 꽃다발까지 안고 현관문 열고 들어오자 교영과 미선이 케이크 들고 고깔 씌우고.

> 교영/미선　생일 축하합니다~ 생일 축하합니다~
> 　　　　　사랑하는 이배우 생일 축하합니다~
> 교영　　　불어 불어.
> 미선　　　(찰싹) 소원 빌어야지.
> 다음　　　나 소원 안 빌어도 돼요.
> 미선　　　왜!
> 다음　　　난 이거면 충분해. 소원은 이미 다 이뤄졌어요.

후. 촛불 끄는.

#57. 교영의 집 안. 밤.

다음이 화병에 선물 받은 꽃을 담아 들고 방으로 들어오고.

> 교영　　　남자한테 꽃도 받고. 다 컸다?
> 다음　　　(놀라서) 어떻게 알았어?
> 교영　　　그 남자 영화 되게 좋아하지? 잘 만들고.
> 다음　　　근데 쌍방 아니야. 나 혼자… 그러는 거야.
> 교영　　　(씨익) 다른 사람 이야기라더니?
> 다음　　　(민망해서 딴청)
> 교영　　　키스도 하고 꽃을 받는데… 일방통행이다…
> 　　　　　새로운 시각이다.
> 다음　　　그렇지? 좀 이상하지?

114

교영	좀 이상한 게 아니라… 네가 착각하고 싶은 거 아냐?
다음	응?
교영	너 혼자 그러는 거… 정말 맞아? 아닌 것 같은데.

교영, 꽃을 잘 보이게 책상 위에 잘 두고, 방을 나간다.
다음, 교영의 말이 와닿고… 제하가 준 꽃을 본다.

#58. 정릉 집. 밤.

제하, 정릉 집 서재에 들어오고, 불을 켜면.

두영이 서재에서 대본을 쓰고 있다. 오른손잡이 두영에게
맞지 않는 서재 책상의 세팅.
두영의 모습이 자연스럽게 은애의 모습으로 변하고, 은애가
서재에서 대본을 쓰고 있다. 왼손잡이 은애에게 맞춰져 있는
서재 책상의 세팅. 왼쪽에 배치되어 있는 스탠드 조명, 원고지,
나무 필통 등.

진실을 알고 나자, 제하의 눈에 보이지 않던 것들이 보이는
서재의 모습.
그때, 두영이 사람들과 집에 들어오고, 인기척이 나자 은애는
황급히 쓰던 것들을 숨긴다. 은애가 책상에서 일어나 제하를
지나쳐 나가면, 제하는 은애가 일어난 자리에 앉아 천천히 몸을
기댄다. 그리고 은애가 숨겨놓고 나간 원고지를 집어 들어,
천천히 은애의 〈하얀 사랑〉 초고를 넘겨본다.
눈에 들어오는 한 구절. 현상의 대사. 제하, 천천히 읽는다.

115

제하	내 안에서 뭔가가 시작됐는데… 그걸
	사랑이라고 불러도 될지. 내가 그럴 자격이
	있는 사람인지…

조용히 눈을 감고 생각에 잠기는 제하의 모습에서. FADE OUT.

#59. 달리는 제하 차 안. 낮. 다음날.

삼척으로 향하는 제하의 차 안. 조수석에 탄 다음. 제하를 흘끔흘끔 본다.
제하, 그런 다음의 모습을 안 보는 척 곁눈질로 보며 미소 짓는다.
풍경 좋은 길을 달리는 기분 좋아 보이는 두 사람의 모습.

#60. 삼척. 리조트 촬영팀 은호 숙소 안. 낮.

자고 있는 룸메이트. 은호가 향수를 뿌려대자 켁켁거리고.

은호	(다음에게 전화 거는) 여보세요?
다음(E)	곧 도착해.
은호	내려갈게! (시계 보고) 앞에서 봐. (끊고)

들뜬 채로 거울 보며 머리를 다듬는 은호.

#61. 삼척. 리조트 엘리베이터. 낮.

지하주차장에서 올라가는 두 사람.

116

다음	먼저 들어가세요.
제하	안 들어가요?
다음	저는 약속이 있어서…

제하	약속?
다음	네. 오늘 마무리할 일이 있어서요.
제하	(의아한) 그래요. 컨디션 잘 챙기구요.
다음	걱정 마세요.

다음, 엘리베이터에서 내리고 로비 저쪽에 보이는 은호에게
간다.
그 모습을 보는 제하. 다음과 은호가 신경 쓰이는. 엘리베이터
문 닫히고.

#62. 삼척. 바다. 낮.
모래 위에 앉아 있는 다음, 그 옆엔 은호의 신발과 양말이 있고.
다음의 시선에 은호 맨발로 파도 속으로 들어가는…
다음 옆으로 와 앉는 은호.

다음	혹시, 고백할 건 아니지?
은호	(!) 왜 이렇게 초치는 얘길 하냐.
다음	미안해. 내 마음이 좀 급해서 그래.
은호	나도 한 직진 하는데, 너도 한 후진 한다.
	예나 지금이나.
다음	…
은호	(모래 털고) 센 척하기 힘들어, 특히 좋아하는
	사람 앞에서.
다음	(이젠 말해야 할 것 같다) 나도 그래.
	좋아하는 사람 앞에선 자꾸 뚝딱거려.
은호	알아. 너 좋아하는 사람 있는 거. 그게
	누군지도.
다음	?! …

117

은호	내 시선의 끝에는 네가 있는데 네 시선 끝에는 항상 다른 사람이 있더라.

INS. 7부 39씬. 캠코더 안에 있는 클립들. 전부 제하다.

INS. 8부 4씬. 우산을 들고 서 있는 제하와 다음을 목격하는 은호.

INS. 8부 31씬. 홀로 걸어가는 다음을 멀리서 발견하고 다가가려던 은호, 그때 제하가 다음의 뒤에서 나타나 나란히 걸으며 대화하는 둘을 보는…

다음	‼️
은호	그리고 그 사람도 계속 널… 보더라고.
다음	‼️‼️
은호	몰랐어? 다 보이는데.
다음	…아니. 사실 나도 알아. 나도 느껴. 다 느껴져. 근데…
은호	아. 그만 그만. 지금은 내 얘기가 먼저다. 어차피 난 땜빵이라 곧 떠나고, 여기서 내가 끼어들어갈 틈은 없어 보이고, 이거, 멋있어 보이려고 하는 말 아니고 진심인데, 내 눈엔 너 지금 딱 좋아. 행복해 보여. 나는 그거면 됐어.
다음	(울컥하고) 눈썰미가 좋다. 선배. 나… 진짜 행복하거든.
은호	(시계 보고) 삼십 분… 후면 슬슬 노을 타임이거든. 저쪽으로 쭈욱 걸어가면 등대 나와. 난… 소주나 마시러 가야겠다.

118

일어서는 은호. 다음, 미안한 마음… 올려다보고.

은호   뭘 봐 임마. 간다.

#63. 삼척. 리조트 제하의 숙소 안. 낮.
제하. 냉장고에서 포도주스를 꺼내 벌컥 들이켜고.
초조한 듯, 불안한 듯, 다음과 은호가 신경 쓰여 괜히 핸드폰
들고 왔다갔다.

#64. 삼척. 바다. 낮.
등대 쪽을 향해 천천히 걸어가는 다음. 제하에게 전화를 건다.

다음   감독님. 딱히 핑계 댈 것도 없구요. (눈 질끈)
             등대 알죠? 거기로 나와 줄래요? 같이 노을
             보고 싶어요. (시간 보고) 뛰어와야 돼요.
             곧 노을 지거든요.

#65. 리조트 제하 방. 낮.
제하, 커튼을 열어 해를 확인하는. 급한 마음에 윗옷을 집어
들어 그대로 뛰어나간다.

#66. 삼척. 바다. 등대. 낮.
다음, 파도 소리를 들으며 제하를 기다린다. 초조한 얼굴로…

#67. 삼척. 바닷가. 낮.
제하, 심장이 터질 듯한 속도로 뛰고 있다.

119

#68. 삼척. 바다. 등대. 낮.
걸터앉아 파도 소리를 들으며 제하를 기다리는 다음. 코가
찡하게 춥다.

Episode 8

#69. 삼척. 바닷가. 석양.

뛰는 제하의 시선에 보이는 다음. 제하, 더 속도를 낸다.

#70. 삼척. 바다. 등대. 석양.

다음, 인기척에 옆을 보면 저 멀리서… 제하가 달려온다.
쿵.쿵.쿵. 가슴이 뛰는 다음.
다다른 제하. 숨이 터질 듯 가쁘고…

제하	(숨을 고른다)
다음	(그런 제하를 미소로 본다)
제하	나 안 늦었죠?

다음, 달려온 제하가 고마워 뭉클하다. 일어나 제하의
목덜미에 손가락을 갖다 대는 다음. 제하의 뛰는 맥박을
느낀다. 제하… 다음을 보면!

다음	나도 이렇게 가슴 터지게 뛰고 싶은데… 이런 느낌이었지. 잊고 있었는데…
제하	…이다음 씨랑 같이 있으면 자주 까먹어요. 헷갈리고.
다음	?
제하	아픈데 안 아픈 사람 같고… 시간이 없는데 있는 것 같고.
다음	(천천히 시선을 맞추고)
제하	…좋아하는데, 좋아해선 안 될 것 같고.
다음	…!
제하	그걸 착각이라고 하기엔 이제 너무 알겠거든요.

120

다음에게 가볍게 입 맞추는 제하. 살짝 떨어지고,
다음 제하를 잡고, 더 깊게 입을 맞춘다… 그런 둘에게서…
엔딩.

Episode 9

마침내 서로의 마음을 확인한 제하와 다음.
그러나 악의적인 보도로 인해 두 사람은 위기에 처한다.

#1. 〈하얀 사랑〉의 한 장면. 서점 인근. 밤.

영화 〈하얀 사랑〉 속 한 장면. 영화 특유의 화면비와 질감이
느껴지고.
정화(서영)가 자신의 차를 향해 캐리어를 끌고 앞장서 가면,
현상(제하)이 배웅하러 천천히 따라오는. 정화, 캐리어를
던지듯 싣고서 운전석에 탑승하고 현상(제하)에게.

> 정화(서영)   정말 잘 생각한 거야. 진짜 어렵게 만든
> 기획 거 알지, 당신도 나도 재기할 수 있는
> 절호의 기회.
> 현상(제하)   …알았어, 올라가서 연락할게.
> 정화(서영)   그래, 서울에서 봐. 근데 그 여잔…
> 현상(제하)   …내가 알아서 정리할게.
> 정화(서영)   서둘러야겠던데? 뭐… 시간이 알아서
> 하겠지만.

정화(서영), 운전석 창문을 닫는다.
운전석 창가에 닫히며 올라간 창문에는 복잡한 표정의
현상(제하)이 비치고…

#2. 삼척 촬영현장. 서점 안. 낮.

창가에 앉아 시나리오를 쥐고서 고민하는 제하의 모습.
서점 창가에 비친 제하의 모습이 1씬의 운전석 창가에
비친 현상의 모습과 유사하다. 그때, 서점 밖 다음이 창가를
사이에 두고 제하에게 장난치러 다가오면, 제하가 고갤 들어
잠시 동안 가만히 마주 본다… 제하 너머 보이는 다음의
따뜻한 미소, 그 위로 비친 제하의 맘 아픈 표정…

123

#3. 삼척. 바다. 해변가 도로. 밤.

어색하게 걷는 두 사람.

다음, 제하 손을 잡을까 말까 머뭇거리는 모습. 다음, 멈춘다.

도로 옆 낮은 턱 위에 올라 균형을 잡으며 걷는다. 제하, 균형

잡으며 걷는 다음을 보며 미소 짓는다.

> 제하   (걸으며) 해가 너무 빨리 지네.
>
> 다음   그러게요. 노을을 보려고 온 건데, 노을이 무슨
>   색이었는지 기억도 안 나네. 노을이 지긴
>   졌었죠?

능청스런 말에 제하, 웃음이 터지고. 웃는 제하가 좋아서

따라 웃는 다음.

> 다음   웃음이 되게 헤프네. 사람들은 잘 모르죠?
>   감독님 이렇게 웃는 게 예쁜 사람인 거.
>
> 제하   그런 말 해주는 사람이 없죠. 누가 나한테
>   웃는 게 예쁩니다. 그럼 이상할 것 같은데.
>
> 다음   웃는 게 예쁩니다. 진짜.
>
> 제하   (웃고) 별로 안 이상해서 이상하네.
>
> 다음   …머릿속이 복잡하고. 꿈꾼 것만 같고.
>   마음이 자꾸 두근거리죠? 뭔가… 잘못한
>   사람처럼.
>
> 제하   (빤히 보고) 어떻게 알아요?

124

다음, 풀쩍 뛰어내려 제하 눈을 빤히 보며,

다음   나는 보이거든요. 감독님의 머릿속이.

제하, 다음을 지그시 쳐다보는데 다음이 눈동자를 이상하게
굴리고 있다. 제하, 답지 않게 또 빵 터진다.

다음   웃는 게 예쁘다니까 너무 웃는 거 아니에요?

다음도 따라 웃고. 같이 웃는 두 사람.

제하   내가 다음 씨에게 느끼는 감정. 계속 모른 척,
          아닌 척 했어요. 두려웠거든요.
다음   (살짝 웃고) 우리 통했네.
제하   응?
다음   지금도 두려워요?
제하   아니요. 다 까먹었어요. 힘들었을 텐데 이렇게
          잘 웃고 씩씩한 이다음 씨 보면 내가 갖고
          있던 두려움들… 다 별거 아닌 것 같아요.
다음   별거 아닌 두려움이 어딨어요. 감독님
          모르잖아요. 죽지도 않았는데 죽을까 봐
          죽을 것 같은 기분. (보며, 웃어 보이고) 나도
          몰라요. 곧 죽을 사람을 사랑해도 될까 하는
          그 맘이 어떤 맘인지.
제하   …
다음   감독님이 나한테 뛰어와 줬을 때 가슴이
          터지게 좋았거든요. 근데 동시에 가슴이
          덜컹 내려앉았어요. 지금 느끼는 이 행복.
          나는 곧 잊어버릴 거고… 남겨진 사람은
          나 없이 나를 기억하게 될 텐데. 이걸 내가

125

Episode 9

누려도 되는 걸까. 하고…

제하　　그래도 돼요.

다음　　감독님이 다 까먹었다니까… 저도… 까먹어
　　　　볼까요?

제하　　?

다음　　내 주제에… 곧 죽을 게… 정말 감독님
　　　　좋아해도 돼요?

제하, 다음을 지그시 보더니 가볍게 키스한다.

제하　　내 주제에… 다음 씨 좋아해도 될까요?

다음, 끄덕이며 웃는데, 눈물이 주룩주룩 흘러내린다.

제하　　우리… 그냥… 지금을 열심히 살아요. 나는
　　　　마음먹었거든요.

다음, 눈물을 닦으며

다음　　정말 마음먹었어요?

제하　　네. 제대로.

다음　　큰일 났다. 마음먹은 만큼 행복해질 텐데.

다음, 제하의 손을 잡고 깍지를 낀다.

126　그때, 제하와 다음의 핸드폰에서 울리는 다음의 식사 알람.
어색하게 알람을 끄고. 다시 제하의 손을 꼭 잡는 다음.
그 모습을 건너편에서 목격한 준병, 유홍, 철민, 진미.
다음과 제하가 반대편 일행들을 발견한다. 두 사람, 동시에 손을 확 놓아버린다.
일행들, 서로 놀라는. 차마 모른 척할 수가 없는…!

#4. 삼척. 식당 안. 밤.
셀프바에서 반찬을 담고 있는 준병과 유홍.
반찬을 담는 손은 건성, 눈은 제하와 다음을 향해있다.

> 유홍   감독님과 다음 씨의 최측근으로서 할 얘기
>   없어요? (두 손을 모아 깍지 끼는 포즈)
> 준병   (눈치 보고) 무, 무슨…
> 유홍   매니저 제대로 하려면 내 도움 필요하다고
>   하지 않았었나?
> 준병   그런데요?
> 유홍   오는 게 있어야 가는 게 있지. 설마 어제 오늘
>   해물뚝배기에 커피로 퉁치려고?
> 준병   난… 아는 게 없는데. 지금 물어볼까요?
> 유홍   (상추를 들어 입에 쑤셔 넣는) 아이 눈치
>   없게. 조용. 가요 그냥.

준병과 유홍이 반찬을 들고 테이블로 와 앉는다.
어색함이 감도는 테이블.

> 다음   (눈치 보며) 잘… 먹겠습니다!
> 진미   (뚫어져라 보며) 여기 맛집이네…
> 철민   먹지도 않고?
> 진미   안 먹어도 알아요. 분위기가… 맛집이잖아요.

다음, 체할 것 같아 헛기침을 하면 제하가 물 따라주고.

127

제하	어떻게 넷이 같이 있으셨네요?
철민	(괜히 당황) 아, 실장님이 전에 내 옷 담배빵 냈다고, (입은 옷 가리키며) 어젠 옷 사주고… 오늘은 내가 고마워서…
진미	거참. 서론이 길어요. 시내에서 여기 두 사람 만나서 커피 한 잔하고 들어오는 길이에요.
유홍	두 분은 어떻게 같이… 거기서 뭐하셨어요?

당황해 말을 못 하는 다음과 제하.

다음	그… 뭐… 뭘 했더라. 뭐죠. 그게? 아! 로케이션 헌팅?
제하	(끄덕끄덕)
다음	노을이 너무 예뻐서 그거 나중에 찍으시라고.
제하	(끄덕끄덕) 진짜 예쁘더라고요. 핑크색이었나?
준병	(제하를 끈질기게 살피며)… 누가 봐도 주황색이었는데.
제하	아 그게 주황색이구나. 피곤해서 그런가. 눈이 좀 침침하네.

어색한 제하, 괜히 밥 먹으며 딴청. 다음, 그런 제하를
사랑스럽게 본다.
그런 둘을 밥 먹으며 흘깃흘깃 번갈아 보는 유홍,
마찬가지로 눈치를 살피는 준병까지.

#5. 제하 숙소 앞 복도. + 방 안. 밤.
복도, 앞서 걷는 제하를 초롱초롱한 눈빛으로 따라 걷고

있는 준병.

준병	형, 내가 질문 하나 할까 하는데.
제하	아니.
준병	하나만.
제하	안 돼.

카드키 대고 문 열고 들어가는.
제하가 옷을 벗어 옷걸이에 걸고, 준병이 제하 앞으로 다가와서.

준병	저번에 말했던 거 기억 나? 싫던 게 아무렇지 않아지고.
제하	조용.
준병	피곤한지도 모르는.
제하	지금 피곤해, 많이.
준병	이상해. 말은 되게 건조한데, 표정이… 촉촉하네. 살면서 처음 보는 표정이야. 형, 왜 다음이랑 손 잡고 있었어?
제하	(멈칫, 굳는) 다 본 거야?
준병	당연하지. 눈이 달렸는데!!! 형, 다음이랑 연애해? …그래도 돼?
제하	…안 돼?
준병	(풀썩 다리 풀려 주저앉는) 아니 그런 건 나랑 상의도 좀 하고… 아무래도 내 아티스트의 권익을 최우선으로 보호해야 하니까… 내가 다음이 매니저잖아.
제하	좋네… 권익 보호. (픽 웃고)

129

#6. 교영 방 안. 밤.

교영, 마스크팩을 붙인 채 이부자리 정리를 하다 바닥에 놓인 다음의 캠코더를 발견한다.

#7. 다음의 숙소 안. 밤. + 교영의 방 안. 밤.

침대에 벌러덩 눕는 다음. 진정되지 않는 듯 가슴에 손을 대고. 그때, 교영에게서 전화가 오고.

다음	어, 교영아!
교영	(캠코더에 찍혀있는 제하 모습 보며) 아주아주. 이거이거.
다음	응?
교영	티 좀 작작 내지? 그만 좀 흘리고 다니고?
다음	뭘 흘려?
교영	캠코더. 내 손 안에 있다. 얼마 줄래.
다음	(놀라고!) 놓고 왔구나… 야! 너 그거 뒤지지 마!
교영	바쁘게 사회생활하는 사람한테 민폐를 이렇게 끼치니?
다음	안 갖다 줘도 돼! 다음 휴차 때 가지러 갈게.
교영	근데 여기에 왜 너는 없냐. 네가 주인공인데! 매니저님한테 찍어 달라고 하지!
다음	해봤는데. 잘 못 찍으셔서.
교영	하… 핑계는. 그럼 끝내주게 잘 찍는 내가 가야겠네.
다음	야! 안 돼. 너 나 땜에 내려올 생각 하지 마. 바빠서 휴가도 못 갔으면서.
교영	촬영지가 바닷가잖아. 거기에 내 친구도 있고. 그게 휴가지 뭐. 근데… 너 목소리가 묘하게

130

떠있다?

다음 (뜬 목소리!) 뜨긴 뭘 떠! (크흠, 작게) 궁금해?
담 휴차 때 가서 말해줄까 어쩔까…?

고영 야! 나 그런 거 제일 싫어! 당장 말 안 해?

다음, 편안한 자세로 돌아 누워 종알종알 통화하는 모습…

#8. 삼척. 촬영현장. 밖. 낮. 몽타주.

시간의 흐름이 보이는 몽타주.

- 서점, 낮. 규원, 현상(정우)과 함께 서점 내부의 먼지를 터는
  모습. 터는 게 영 어색한 현상에게 새침한 표정의 규원이
  나무라고. 툴툴 대는 현상을 귀엽게 바라보는 규원. 모니터로
  웃음을 머금고 지켜보는 제하. 현상이 제하로 바뀐다.
- 서점, 낮. 유나가 규원을 방문 간호하러 찾아왔는데 아무도
  없고. 의아한 표정으로 서점 구석의 문을 열면, 청소를
  끝내고 지친 규원과 현상(제하)이 귀엽게 낮잠 자고 있고.
- 서점 옥상, 낮. 피크닉처럼 돗자리를 깔고서 이것저것
  놓으려는데 순간 큰 바람이 불어와 물건들이 몽땅 다
  쏟아지는. 규원과 현상(제하), 유나 누가 먼저랄 것도 없이
  셋이서 깔깔깔 소리 내어 웃는 모습. 컷 하면, 현상은 정우가
  연기하고 있고, 제하는 모니터를 보고 있는 모습. 제하의
  만족스러운 표정에서.

#9. 삼척. 촬영현장. 해변가.

해변가에 서있는 다음과 정우, 그 옆으로 제하가 함께   131
리허설을 하는.
(현상이 서울로 올라가기 전날, 바다에서 규원과의 마지막
하루를 보내는 장면)

Episode 9

분장팀이 다가가 흩날리는 다음의 머릿결을 정리하고 있고,
진미, 물을 마시고 있던 철민 옆에 서는.

진미	잘 입고 다니시네.
철민	(옷 보고) 아, 애들도 예쁘다 그러던데요. 고마워요.
진미	뭘 고마워요. 사주기로 해서 사준 건데. (뚫어져라 다음과 제하를 본다) 저 둘, 언제부텈까요?
철민	글쎄요…
진미	이야… 둔하다. 둔해. 그런 감각으로 촬영은 어떻게 이렇게 잘하셔?
철민	칭찬인지 욕인지.
진미	분명, 회식 때부터야. 내 눈은 못 속이지.
철민	좀 속아줘요. 뭐 어때요. 같은 일 하다 보면 좋은 감정이 생길 수도 있지.
진미	안일하시네. 나중에 문제나 안 생겼으면 좋겠어요. 어 애들아 잠깐만!

진미가 직접 수정하기 위해 분장팀과 다음에게 향하고,
앵글을 다시 보려던 철민, 옆에서 포커스를 보던 은호가.

철민	아, 은호 오늘 마지막이구나. 마지막 씬은 (웃고) 네가 잡아볼래? 감독님한테 말해볼게.
은호	제가요?
철민	응. 한번 잡아봐.

은호, 철민의 자리로 와 카메라 모니터에 담긴 다음의 모습을

본다.
분장 받으며 맑은 미소를 짓는 다음. 그 모습을 에쁘게
바라보는.

#10. 제작사 복도 + 승원의 사무실 안. 낮.

기분 좋은 듯 박자 타며 복도를 걷는 희태. 무거운 박스를
들고 가는 직원이 서류를 떨어뜨리자 주워주며 찡긋 웃기까지.
승원 방 앞에 다다른 희태. 노크도 박자 타며 하는.
승원 한 손에 전화 받은 채로 열어주는.

승원	어, 그래. 오늘 일 좀 보고 내려갈게. 현장에 일 생기면 연락 주고. (끊고) 웬일이실까?
희태	(제하와 다음의 투 샷이 담긴 사진을 테이블 위에) 왜 아무런 액션이 없으시죠? 제작사 대표님께서.
승원	(괜히 오버해서) 왜에? 아, 이 둘 스캔들 내려고? 어, 그럼 큰일나겠다. 촬영 이제 시작했는데 신인배우랑 감독이 추저분하게 스캔들이라니… 내 입장에서는 너무 피곤하지. 투자자들 막 난리 칠 텐데.
희태	(농락당하는 것 같아, 기분 나쁘고) 사진 잘 본 거 맞아요? 여기 병원입니다? 대학병원. 해석의 여지가 아주 많아요.
승원	산부인과 앞도 아니고 유난은, 우리 영화 의학 자문이 거기 한국대병원이야.
희태	!
승원	업계에서 자문으로 유명하신 분인데 촬영 중에 감독이랑 배우가 자문 좀 구하러 간 게

133

	뭐 대수라고.
희태	매니저도 없이? 자문을 단 둘이 갈 정도로…
승원	(OL) 차에서 기다리고 있었던가, 아님 화장실을 갔던가.
희태	(할 말이 없다)…
승원	이 사진 한 장으로 뭘 하려고 대체? 애매하잖아. 아니, 애초에 병원엔 왜 갔대?
희태	그거야… (눈치 살피며 말을 못 잇는)
승원	〈질투의 조건〉 스캔들 봐봐요. 그거 결국 영화 흥행에만 도움 됐잖아. 터트려. 나한테 뭔 손해가 있는지 모르겠네.
희태	(어이가 없지만 할 말도 없다)
승원	(여유롭게) 주는 소스나 조용히 받아 적기만 하고 살아. 여태껏 그래왔으면서 뭘 새삼스레…

#11. 승원 제작사 주차장 안. 낮.

희태 씩씩거리며 가방을 조수석에 휙 던지고 운전대를 잡고서, 고대표에게 전화를 거는데, 받지 않고.

희태	이것들이 지금 누굴 머저리로 아나…

희태의 차, 빠르게 건물을 나간다.

#12. 고대표 사무실 안. 낮.

134 고대표, 사색에 잠긴 듯 자리에 앉아 있고.

INS. **8부 32씬. 리조트, 서영의 방 안. 밤.**

서영	**대표님한테 없는 걸 요구하는 게 아닌데.**

고대표   …

서영   **우리 원래 안 이랬는데… 어쩌다 이렇게 됐을까.**

그때, 밖에서 노크하는 소리가 들리고 보면, 희태다.

고대표   (한숨) 하아… 들어와요.

#13. 삼척. 촬영현장. 바다. 밖. 낮.

현상(정우)   약속했던 한 달 못 채웠어요. 서울로
                     가려구요.
규원(다음)   이제 죽겠다는 생각은 하지 않을 거죠?
현상(정우)   … 끌고 나와 줘서 고마워요.
규원(다음)   그럼, 고마워야죠. 살아야만 할 수 있는
                     일들이 얼마나 많은데요.
현상(정우)   (웃으며) 잘 지내요. 나도 잘 지낼게요.

떠나는 현상(정우)을 보는 규원(다음)

규원(다음)   (떠나는 현상 보며 혼잣말) 현상 씨 때문에
                     자꾸 더 살고 싶어져요.

다음, 감정연기를 이어나가고 있고.
은호, 집중해서 그런 다음의 표정을 천천히 따라간다.
옆에서 포커스를 잡고 있는 철민, 은호를 기특하게 본다.   135
모니터 속, 바닷바람에 흩날리는 다음의 머리칼에서
얼굴까지 따라가는 앵글.
행복하게 연기하는 다음의 얼굴을 보며 제하, 자신이 했던

말이 생각난다.

INS. **2부 21씬.**

> **다음**　　**감독님이 만드는 하얀 사랑 결말은 원작과**
> **같나요?**
>
> **제하**　　**…아뇨. 결국에는 죽겠죠.**

자신이 쓴 다음의 대사로 인해 순간 다음과 자신이 놓인
현실의 무게감이 엄습한다.
일말의 가책까지 더 해져 마음이 무거운 표정으로…

　　제하(E)　　(무전) …컷, 규원 바스트 오케입니다.

유홍, 제하의 오케이 사인에 크게 외치려는데, 제하. 작은
종이에 무언가를 쓰고서,

　　제하　　홍아 잠깐만, 저 정우 씨. 잠깐 얘기 좀
　　　　　　할까요?
　　정우　　(다가오고) 네, 말씀하세요.
　　제하　　(종이에 쓴 대사를 건네며) 현상이가…
　　　　　　규원이 옆에 하루만 더 있는 게 어떨까요?
　　정우　　(대사를 보며) …왜요? 그게 의미가 있나?
　　　　　　아픈 사람을 두고 잔인하게 떠나버리는 남자.
　　　　　　이게 현상이 캐릭터 아니었어요?
　　제하　　네, 그런데… 결말이 조금 고민이 되어서요.
　　정우　　원작처럼 현상이가 규원이를 사랑하기라도
　　　　　　하나요? 뭐, 전 원작파니까. 해볼게요.

136

촬영장 쪽으로 가는 정우. 제하도 촬영장 쪽으로 발걸음을 옮긴다.

#14. 삼척. 촬영현장. 바다. 밖. 낮.
제하, 다음과 철민에게 바뀐 씬을 설명하고 있다.

> 철민   규원이와 현상이에게 가능성을 열어주고
>   싶다는 말이네.
>
> 제하   … 아직 고민 중이에요.
>
> 철민   나는 찬성! 이게 〈하얀 사랑〉이지. 그럼, 앵글을
>   좀 더 희망적이고 아름답게 바꿔볼까. (카메라
>   쪽으로 가며) 은호야. 니 씬 아직 안 끝났다.
>
> 다음   (할 말이 많은 표정) 감독님.
>
> 제하   네.
>
> 다음   (지긋이 본다)
>
> 제하   (부담) 말해요.
>
> 다음   (미소 지으며) 아니에요. 나중에, 나중에
>   얘기해요. (촬영 위치로 가며) 규원이 갑니다~

제하, 그런 다음 보며 고민이 깊어지는 표정.

(시간 경과)

> 현상(정우) … 끌고 나와 줘서 고마워요.
>
> 규원(다음) 그럼, 고마워야죠. 살아야만 할 수 있는
>   일들이 얼마나 많은데요.
>
> 현상(정우) 그럼, 하루만… 더 있다 갈까요? 이런
>   표정으로 헤어지긴 아쉬우니까…

137

규원(다음)	(눈물 핑 맺히며 행복한 표정으로 고개 끄덕)
제하(E)	(무전) 컷, 씬 오케이입니다. 좋습니다.
유흥	오케입니다! 낮 촬영 끝입니다! 모두 고생하셨습니다!!

다음, 제하의 오케이 사인에 해맑게 웃어 보이고. 은호도 뷰파인더에서 눈을 떼고 후련하게 웃는다. 제하도 뭔가 기분 좋은 표정.

#15. 삼척. 촬영현장 인근 주변. 밖. 낮.

정리 중인 현장. 캔커피를 든 채 이야기 중인 철민과 은호에게 다가가는 제하.
철민, 은호 어깨 두들겨주고 가는.

제하	오늘이 마지막이죠?
은호	네. 잠깐이었지만 감독님 영화 함께 할 수 있어서 좋았습니다.
제하	저두요. 아쉽네요.
은호	아쉬우심 다음 영화에서 또 만나면 되죠.
제하	다음 영화… 좋네요.
은호	(배시시 웃고) 감독님.
제하	네?
은호	잘 부탁드립니다.
제하	?
은호	이다음 잘 부탁드려요.
제하	(끄덕이는)
은호	그럼 전 다음이한테 인사 좀 하고 가야겠어요.
제하	저… 그… 너무 오래는… 그러니까 너무

138

늦게까지는…

은호 　(장난스레) 참나. 그건 제 맘이죠. 이런 건 좀
　　　 봐주셔야죠.

은호, 꾸벅 인사하고. 제하도 꾸벅 인사 받는다.

#16. 삼척. 촬영현장 분장차 주변. 밖. 저녁.
분장차에서 사복으로 갈아입고 나온 다음. 은호가 웃으며
서 있다.

#17. 삼척. 촬영현장 주변 거리. 밖. 저녁.
다음, 은호. 걸으며.

다음 　쉬지도 못 하고 바로 촬영 가는 거지?
은호 　프리랜서의 숙명. 일 들어올 때 노 저어야지.
다음 　봄이나 돼야 오겠네?
은호 　응. 벚꽃은 서울에서 너랑 볼라 그랬는데.
다음 　!?
은호 　네가 나랑 안 봐줄 거잖아.
다음 　…
은호 　농담! 내가 원래 되게 질척거리잖아.
다음 　(멈춰 서서, 보고) 이렇게 선배 한 번 더 봐서
　　　 다행이야.
은호 　계속 봐야지 우리. 넌 매번 마지막처럼 선
　　　 긋더라. 서운하게.
다음 　악수 한 번 하자. (손 내밀고)
은호 　?! (잡는)
다음 　(두 손으로 꼬옥 잡고 있는)

139

다음, 은호의 손을 잡은 채 꾸벅 90도로 인사한다.

다음   (고개 숙인 채) 잘 살아야 돼, 선배.

은호, 의아하게 다음을 보다가, 피식 웃으며

은호   잘 살아야 돼, 후배.

고개 숙인 다음의 표정, 눈물이 핑 돌 것 같지만 참으며
허리를 세워 은호의 손을 놓고 웃는다. 멀리서 그런 다음을
지켜보는 제하.

#18. 삼척. 촬영현장 주차장. 밖. 저녁.
은호가 다음에게 인사를 하고 차에 타서 출발하는.
서서 손 흔들며 인사하는데, 옆으로 다가온 제하.

제하   간 거죠? 이다음 씨 첫사랑.
다음   네. 갔어요. 한때 첫사랑.
제하   (괜히 다음을 스윽 보고)
다음   (표정이 어둡다)

다음이 신경 쓰이는 제하.

#19. 삼척. 숙소 인근 동네 길가. 밖. 밤.
140 주변을 산책하는 제하와 다음.

제하   (일부러 과장해서) 아, 경쟁자가 떠나니
            마음이 편안하네

다음, 제하를 흘긋 보더니 표정 풀고 맞장구 쳐준다.

다음   (괜히 과장해서) 나는 좀 우려가 되네. 막
            유치하게 질투하고 틱틱 대고. 설마 우리
            감독님이 그런 캐릭터인가? 진짜 그러면
            어떡하지.

제하   인간은 그러니까 남자는 다 똑같거든요.

나음   남자요?

제하   왜… 뭐요.

다음   (푸하하 웃고) 진짜 왜 그래요!

제하   (같이 웃고) 그러게, 나 왜 이러지… 미쳤나.

다음   (웃음 못 참고) 귀엽다.

제하   (같이 터져서 웃고) 귀엽다구요?

다음   아, 너무 웃기다. 웃기려고 질투한 거죠.

제하   네. 나도 좀 웃고 싶어서요. 난 이다음 씨가
            웃는 게 웃기더라.

다음   어? 그거 나도 그런데.

제하   (웃는다)

다음   (그런 제하 보며 웃으며) 그런데, 감독님.
            아까 바뀐 씬… 왜 그랬어요?

제하   현상이가 규원이를 보면… 처음 먹었던
            마음과 다르게 자꾸 살고 싶고, 규원이 옆에
            더 있고 싶을 것 같다는 생각이 들었어요.

다음   (약간 놀리듯이 보며) 감독님처럼?

제하   (솔직하게) 그래요. 나처럼.

다음   (놀라고, 좋은) 규원이가 한 건 했네.

어색하게, 설레게, 가까이 붙은 간격을 유지한 채 걷는 둘.

Episode 9

손등이 닿을 듯 가깝다.

제하와 다음의 손이 닿을랑 말랑… 제하, 다음의 손을 덥석
잡아버리고, 다음 그런 제하 손을 더 꽉 쥔다…

다음   그럼… 우리 영화의 결말도 바뀔 수 있을까요?

제하   요즘 어머니가 쓴 초고를 매일 봐요.
          어머니는 왜 그런 결말을 썼을까. 남편에게
          자기 이름 빼앗긴 채 죽어가던 어머니는
          무슨 맘으로 끝까지 사랑의 아름다움을
          말하고 싶었을까.

다음   감독님…

제하   그래서 우리 영화의 결말을 조금 더
          열어두고 싶어요. 더 들여다보고 싶어요.

다음   정말이에요?

제하   다음 씨가 도와줄래요? 우리, 같이 찾기로
          했잖아요.

다음   네. 계속 찾아봐요. 나랑 같이.

제하   (다음 보며 고개 끄덕)

어느새 숙소 앞에 다다른 둘.

다음   벌써 두 바퀴를 돌았네… 옛날에 체력
          좋았을 때 한 삼십 바퀴는 돌았던 것 같은데.

제하   같이 삼십 바퀴 돈 남자는 누구예요?

다음   (앗 말실수!) 아 흠흠, 우리 한 바퀴 더…

제하   들어가요. 다음 씨 피곤하면 안 되잖아.

다음   (아쉬워 괜히 베베 꼬고)

제하   ?

다음	(놓지 않는 제하의 손을 보며) 아니, 이거…
	놔줘야 가죠…
제하	아. (제하 역시 손을 응시하다 조심스레
	풀며)… 놓기가 싫으네. 보내기도 싫고.
다음	(떨리고, 부끄럽고) 내일 또… 봐요. 우리.

아쉬운 듯 웃으며 들어가는 다음, 계속해서 돌아보다가
들어가는. 제하도 아쉬운 표정.

#20. 국밥집 안. 밤.

희태, 동료기자와 국밥집 한편에 앉아 있고. 두 사람 앞에
소주 서너 병이 널브러져 있다. 희태, 한 손으로 양파,
한 손으로 고추를 집고선,

이기자	안 먹을 거면 뒤적거리지 좀 말고…
희태	이게 낫나… 이게 낫나…

#21. 과거, 희태의 회상. 고대표 사무실 안. 낮.

12씬 이어서. 희태, 승원에게 들고 간 사진을 고대표에게
보여주며.

희태	부대표가 자문이라곤 하는데, 혹시 알아요?
	대학병원에서 감독과 배우가 같이 있을
	일이… 이게 잘만 스토리 짜면…!
고대표	(희태가 말하는 걸 가만 듣다 실소가 나오고)
	시킨 것만 잘 하지. 뭐 이딴 드러운…!
희태	!?
고대표	기자님. 내가 이 바닥에서 20년을 그냥 버틴

143

줄 알어?

| 희태 | …에? |

고대표	별 같잖은 새끼들이 여배우들 물 먹이려고
	드러운 얘기 엮어 내는 거에 아주 치가
	떨리는 사람이라고, 내가.

갑작스런 고대표의 역정에 어이가 없는 희태의 표정.

#22. 현재. 국밥집 안. 밤.
20씬 이어서.

희태	아주 씨 제작사 대표나 엔터 대표나…
	필요하다고 찾을 땐 언제고… (양파 고추
	입에 넣고 씹어대는)

| 이기자 | 안 맵냐… |

희태	(매운지 눈물이 핑 도는) 스읍, 두고 봐, 내가
	제대로 한 방 먹여 줄라니까. (물 마시려다
	없어 소주 마시는)

| 이기자 | 안 그래도 비욘드엔터 채서영 곧 나간다고 |
| | 뒤숭숭한 마당에. 쑤셔봐야 헛방이야. |

| 희태 | 기자라는 놈이 뒷북은. 고대표는 채서영 안 |
| | 놓쳐, 절대. |

이기자	넥스트 채서영 찾는다고 혈안이잖아.
	이다음한테 집적대는 거야 이미 유명하고,
	얼마 전엔 남재인이도 컨택 했대.

희태	남재인? 뭔 소리야. 걘 그냥… 이다음
	동기래서 고대표가 한번 떠보려고 불렀던
	거고… 아?

144

희번덕거리는 희태의 표정…!

#23. 삼척. 숙소 복도. 안. 밤.

다음이 엘리베이터에서 내려 코너를 돈다. 문 앞에서
기다리고 있는 재인을 본다.
재인, 다음을 보고 손을 살짝 흔드는. 웃고는 있지만 차가운
느낌.
다음의 얼굴에도 불안이 스친다.

#24. 삼척. 숙소 인근. 밖. 밤.

숙소 한 바퀴 더 돌고 온 제하, 숙소 앞에 도착하면 서영이
서있다.

#25. 삼척. 숙소 인근 벤치. 밖. 밤.

나란히 앉아 있는 제하와 서영. 서영만 맥주 한 캔을 쥐고 있고.

서영	요즘, 잘 웃더라. 분위기도 더할 나위 없이 좋은 현장이야. 감독님처럼 예민한 사람이 현장에서 이렇게 편할 수도 있구나. 새롭게 느끼네.
제하	…마음을 다르게 먹었거든.
서영	(맥주 마시고) 그래? 나돈데.
제하	?
서영	감독님 좋아 보인다는 말 칭찬인 줄 알았어? 말했잖아. 난 응원 안 한다고. 어떤 선택을 하든.
제하	그럼… 어떻게 할 건데, 아니, 어떻게 하고 싶은데?

145

말을 잇지 못한 채 빠히 쳐다보는 서영.

#26. 삼척. 다음의 숙소 방 안. 밤.

다음이 냉장고에서 포도주스를 꺼내 재인에게 주고.
받아드는 재인.

재인	(시계 보고) 밤 11시가 넘은 이 시간에 액상과당을 아무렇지 않게… 마시는구나. 너는?
다음	(당황하고) 다른 거 줄까?
재인	아니. (내려놓고) 좀 생소해서. 너 밥도 되게 많이 먹잖아.
다음	…
재인	감독님이 한소리 안하디? 시한부 역을 맡은 주연배우로서 관리 안 하냐, 책임감 없냐. 할 법도 한데…
다음	보이기에 문제없음 된 거 아냐? 넌 뭘 문제 삼고 싶은 건데?
재인	(빠히 보고) 이다음 그 자체?
다음	재인아, 나 너랑 잘 지내고 싶어. 예전처럼.
재인	(어이가 없고) …예전에 우리가 잘 지냈나? 나랑 다른 기억을 갖고 있네.
다음	(영문을 모르겠고) 무슨 말이야. 재인아, 너 나한테 왜 이렇게 화가 났어? 나 정말 답답해서 그래.
재인	(뭔가 올라오지만 참고) …진짜 답답한 건 나야. (방을 살펴보며, 실소) 이야. 내 방보다 넓다. 좋겠다 야. 운도 좋네. 인생이

146

얼마나 신날까. 넌.

재인, 자기 할 말만 하고 휙 나가 버리고,
다음, 침대에 털썩 주저앉아 재인이 나간 쪽을 바라본다.

#27. 삼척. 숙소 인근 벤치. 밖. 밤.
25씬 이어서.

서영	그때의 나와 지금의 이다음은 무슨 차일까. 아니, 그때의 이제하와 지금의 이제하는 왜 다를까.
제하	…
서영	이다음에 대한 제하 씨의 마음… 싸구려 동정심이 아닌 사랑이라 확신할 수 있어?
제하	응. 확신해.
서영	(충격이지만 드러내지 않는다)
제하	서영아, 나는 그냥… 지금을 열심히 살기로… 제대로 마음먹었어. 그리고 그 마음을 먹게 한 건 이다음이야.
서영	(마음이 아프다)
제하	네가 어떤 선택을 하든, 돌고 돌아 네 상처가 되지는 않았으면 좋겠다.
서영	이제 정말 살 만한가 보네. 남의 상처 들춰볼 여유까지 생기고. (일어나 가는)

147

맘 아프게 보는 제하.

#28. 삼척. 숙소 흡연구역. 밖. 밤.

밖으로 나온 재인, 신경질적으로 전자담배를 꺼내 흡연구역으로 빠르게 걸어가고.

모르는 번호로 전화가 오자, 짜증난 표정으로.

　　　재인　　　여보세요. 누구라고요?

#29. 삼척. 숙소 앞. 밖. 밤.

로비 입구로 들어오는 제하, 재인과 마주친다.

　　　재인　　　감독님? 안녕하세요.
　　　제하　　　아, 재인 씨.

제하, 인사하고 재인을 지나쳐가는데.

　　　재인　　　저, 감독님.
　　　제하　　　(돌아보고) 네?
　　　재인　　　(묘하게 망설이다) 좋은 밤 되세요.
　　　제하　　　…네. 재인 씨도요. 내일 봐요.

돌아선 재인. 표정이 싸늘하게 굳는다.

#30. 서울, 영진그룹 건물 전경. 아침.

148　**#31. 한상무 사무실 안. 아침.**

[영진그룹의 콘텐츠 투자, 문화 산업의 새로운 희망]이란 제목의 기사 흐뭇하게 보고 있는 한상무. 그때, 사내 메신저로 링크가 하나 도착한다.

한상무   (귀찮다는 듯) 요즘엔 어르신들도 정보가 빨라.

한상무, 메신저로 온 링크 열어본다. 무표정하게 스크롤
내리며 보다가 승원에게 전화한다.

한상무   아, 부대표님. 좀 들어오시죠.

#32. 제하 숙소 안. 아침.
제하의 방. 밤새 추가 씬들을 급하게 쓰느라 정리가 안 된
종이들이 책상 위에 흐트러져있다. 그 종이들 한편에 고이
놓인 은애가 쓴 〈하얀 사랑〉의 초고가 보이고…
제하는 씻고 있는 듯, 물소리만. 침대 위에 놓인 핸드폰이
계속해서 울린다.
지이이잉. 준병에게서 오는 전화로 진동만 계속 울리고…

#33. 승원 제작사 대표실. 아침.
승원, 여유롭게 재킷 입고, 거울로 머리 만지며,

승원   영화의 영자도 모르는 영한 놈의 새끼.
        이 정도로 오라 가라야.

승원, 여유롭게 나간다.

#34. 다음의 숙소 안. 아침.
잠들어있는 다음. 전화 진동이 울리는데, 여전히 잠들어있고…   149
띵동– 벨소리에 눈을 뜨는. 일어나 문을 열면 뛰어왔는지
거친 숨을 몰아쉬는 준병.

다음	(놀라서) 뭐야. 매니저님! 왜 그래요!
준병	(주변을 둘러보고, 다음을 살피는) 괜찮아?
다음	네? 뭐가요?
준병	…아직… 못 봤구나…
다음	?

#35. 한상무 사무실 앞 복도. + 사무실 안. 낮.

승원, 문을 열고 들어간다.

사무실 데스크 의자에 앉아 뒤돌아 이동식 모니터로 시선이
꽂혀있는 한상무.

들어오는 승원을 아는 체도 않자, 승원이 조심스럽게 데스크
앞으로 가고.

가까이 다가가면 한상무의 시선이 꽂혀있는 모니터에
대문짝만하게 희태가 쓴 기사들이 띄워져 있고. 한상무가
손을 휘휘 저으면, 건너편 큰 TV에 기사가 미러링 된다.

— [단독1] "촬영이 끝나면 은밀한 사랑이 시작된다…" 〈하얀 사랑〉 감독♡배우 커플 탄생!

희태의 특집 기사 1부. 제하의 숙소 앞에서 다음이 기다리는
모습과, 문을 열어주는 제하의 모습… 그리고 병원에서의
사진까지 실려 있다. 여러 오해의 소지들로 써놓은 기사
원문까지. 소리 내어 읽는 한상무.

150		
	한상무	힘든 촬영 현장 속에서, 둘은 서로에게
		의지했다… 촬영이 끝나면 배우 이다음 씨는
		항상 감독의 방을 찾았고… 촬영이 없는
		날에는… 함께 병.원.을 방문하기도 했다…

괄호 열고 물음표, 괄호 닫고.

승원 　　　(여유롭게) 상무님. 설마… 이런 스캔들
　　　　　　기사에 맘 상하신 건 아니죠?

한상무 　　그럴리가. (씨익) 이거보다 더한 패도 쥐고
　　　　　　있는데.

승원 　　　(씨익) 그러니까요. 오히려 화제성도 끌어올
　　　　　　수 있고요.

그때, 사색이 된 박부장 급하게 들어온다.

박부장 　　상무님!

한상무 　　아우. 왜 이리 호들갑이야.

박부장 　　큰일 났습니다.

승원과 한상무, 의아하게 박부장을 본다.

#36. 삼척. 촬영현장. 분장차 안. 낮.

서영, 차갑게 굳은 얼굴로 분장차 안으로 들어선다.
충격에 빠진 얼굴로 분장을 받고 있는 다음이 서영을 바라보고,

#37. 삼척. 촬영현장 인근. 밖. 낮.

촬영장 한편에서 기사를 읽고 있는 재인의 모습.
기쁜 듯, 찜찜한 듯, 복잡한 표정.

#38. 한상무 사무실 안. 낮.

151

박부장, 한상무 모니터에 희태의 후속 기사 띄워주는. 승원,
한상무 옆에 붙어서 같이 본다. 승원, 한상무 모두 표정 점점
일그러지고.

– [단독2] 〈하얀 사랑〉 스캔들, 오디션 '공정성 논란' 도마 위에
  올라…

바로 이어 올라와있는 기사 2부. 다음의 오디션 합격 보도와
엮어 의문을 제기하는 내용의 기사. 기사 하단에는 댓글이
막힌 대신, 격앙된 반응의 감정 스티커들의 개수가 압도적이고…

한상무	뭐야… 이게. 화제성이 이런 식으로 생김 안 되지.
승원	(완전 일그러진 표정)
한상무	고작 스캔들이면 모르겠는데. 공정, 형평. 하필이면 이 시국에 대중들한테 제일 민감한 이 두 가지를 건드렸네?
승원	노희태 이 새끼가…
한상무	우리 회사 채용비리에 입찰특혜에 내 윗대가리들 두어 명 검찰 들어가 있어요. 나는 그 양반들 싸놓은 똥 치우려고 이런 영화에 돈을 대는 건데… 주인공 오디션이 감독 특혜?
승원	정정보도 바로 준비하겠습니다.
한상무	정정한다고 정정이 되나?

#39. 고대표 사무실 안. 낮.

고대표, 태블릿으로 커뮤니티 반응을 확인하고 있고.
인기글, 5년 전 제하와 서영의 스캔들 기사가 담겨있다.

[〈하얀 사랑〉 감독, 5년 전에 채서영이랑도 스캔들 찐하게 남]
→ 그럼, 〈청소〉 때 채서영도 오디션 특혜 아님?
→ 감독이 선수네. 오디션으로 주인공도 찾고 여친도 찾고.

→ 내가 이해한 게 맞음? 현여친, 구여친이 한 현장에 ㄷㄷ

→ ㄹㅇㅋㅋㅋ 배운 변태네 이제하. 부전자전 ㅁㅊㄷ ㅁㅊㅇ

→ 모르면 받아 적자, 이젠 할리웃이 '미국의 충무로'다
   아ㅋㅋㅋ

고대표	이제하 이 새끼, 내가 이럴 줄 알았어. 서영이는!
직원1	연락을 안 받네요. 민희 실장도…
고대표	전화 안 받으면 삼척으로 가서 끌고 오든
	잡아오든 하라고!!! 아니, 내가 직접 간다.

고대표, 빠르게 나가고.

#40. 한상무 사무실 안. 낮.

한상무	(기분 나쁘게 실실 웃으며) 헤이. 부대표는 내가
	맨날 웃어주니까 만만해 보였나?
승원	(굴욕적) 죄송합니다.
한상무	(싸늘해져서) 기자 관리 하나 못 하는 주제에
	어떻게 대표가 됐어요? 죄송은 됐고. 들어간
	돈 토해 낼 생각 아니면. 감독, 배우들 세워서
	눈물의 사죄쇼를 하든 뭐라도 해서 여론,
	바꾸세요.
승원	제가 책임지고 특혜논란, 덮겠습니다.

#41. 삼척. 촬영현장. 분장차 안. 낮.

진미가 침묵 속에서 다음의 분장을 끝내고 서영의 헤어를   153
만지는.

진미	(일부러 아무렇지 않게) 기사가 너무

악의적이더라. 다음 씨 아침에 깜짝 놀랐지?

다음   (대답을 못한다) …

진미   아니 회의하러 감독 방에 들어간 게 죈가?
거긴 나도 들어갔어. 그리고 다음 씨 연기 보면,
특혜는 무슨 특혜! 감독님이 운이 좋은 거지.

아무 말도 못하는 다음을 바라보는 서영.

#42. 삼척. 준병의 밴 앞. 낮. 밖.

분장을 끝낸 다음이 차 앞에서 기다리고 있던 준병을 발견하고.

준병   잠깐 차에 타. 아침 안에 있어. 그거 먹어.
꼭꼭 씹어서!

다음   괜찮은데… 아니구나. 먹어야 되는구나.
살려면.

준병   …? 얼른 들어가. 내가 해줄 수 있는 게 이런
거밖에 없다.

#43. 삼척. 준병의 밴 안. 낮.

밴 문을 열면 제하가 앉아 있다.
다음 급하게 제하 옆자리에 앉고 빠르게 문을 닫는다.

제하   놀랐어요?

다음   (끄덕이는)

154

제하   놀랐을 것 같아서. 걱정했어요. (과일 도시락
건네주는)

다음   (받아서 우물우물 씹어 먹는)

제하   (픽, 웃고)

다음	왜요. 이 와중에 이게 넘어가나. 그런 생각했어요?
제하	아뇨. 하나 먹어보란 소리도 안 하나. 서운해서요.
다음	(웃으며 사과 한 조각 들이밀고)
제하	(받아서 먹는)
다음	이 와중에 감독님은 그게 넘어가요?
제하	참나…
다음	우리 이거 다 먹고 평소대로 해요. 평소대로 나는 감독님만 보고. 감독님도 감독님 일 하구요.
제하	내가 그 말 해주려고 부른 건데… 씩씩해서 다행이다.
다음	…
제하	평소대로 하고 싶어도 같이 일하는 스태프들이 많이 놀라서 오해하는 시선이 있을 수 있어요. 그거 너무 신경 쓰지 말자구요.
다음	내가 감독님 꼬셔서 배역 땄다는?
제하	아닌 건 아닌 거니까요.
다음	그쵸. 정확히는 배역 딴 뒤에 꼬신 거니까!
제하	(웃는다)
다음	(같이 웃으며) 진짜… 요즘 웃음이 헤퍼…
제하	오늘 찍는 씬들, 전부 규원이가 행복하게 웃는 모습들인데… 힘들 것 같으면… 바로 말해요.

155

다음, 대답 대신 자신의 손에 얹어진 제하의 손을 살며시
잡는다.
제하, 손을 살짝 당겨 다음을 안는다. 다음, 잠시 같이 가만

안아주는.

다음	감독님도 바로 말해요. 나한테.
제하	…뭘요?
다음	너무 쿨한 척 굴면 없어 보이는 거 알죠?
	감독님도 힘들겠음, 못하겠음, 나한테 바로
	말해 달라구요.
제하	(픽 웃는다)

#44. 한국대병원. 정효 교수실 안. 낮.

민석이 노크하고 다급하게 문을 열고 들어온다.
기사를 굳은 표정으로 보고 있던 정효, 돌아보면, 민석의
표정도 안 좋고.

정효	검사결과도 …나왔구나.
민석	… 오늘부터는 제가 현장에 가있겠습니다.
정효	(부정하지 않자 마음이 내려앉는, 비틀)
민석	(달려가 정효 부축하고) 교수님!
정효	(부축하는 손 떼어내고) 괜찮아. 괜찮을 거야.

그런 정효를 안타깝게 맘 아프게 보는 민석.

#45. 교영의 집 + 방 안. 낮.

장바구니를 들고 현관으로 들어오는 미선.

156 현관에 교영의 신발을 보고, 식탁에 장바구니 내려놓고선
교영의 방문을 연다.
흐느끼는 교영이 주저앉아 있다. 교영의 손에 들린
핸드폰에는 다음의 기사가 열려 있고.

미선	너 이 시간에 왜 들어와 있어?
교영	(흐느끼고)
미선	(교영 앞으로 와 놀라 주저앉고) 너 왜 울어!
교영	엄마…

CUT TO.
거실, 식탁에서 밥 먹는 교영, 그 앞에 앉은 미선.

미선	회사는!
교영	화끈하게 때려 쳤으니까 집에서 점심을 먹지.
미선	이게 이게! 미쳤어!!!
교영	그랬겠냐고. 나 3년 동안 제대로 휴가도 못 썼잖아. 몰아서 받기로 했어. 회사에서도 이해해 줬고.
미선	(숨 몰아쉬고 물 따라 마시고) 하이고. 어쩌다가. 다음이 어떡하니. 인터넷에 막 돌아다니면 그거 다음이 아빠도 볼 거 아냐.
교영	그래, 분담하자. 엄마. 엄마는 정효 아저씨한테 가 봐.
미선	…넌.
교영	…
미선	너 네 일 내팽개치고 다음이한테 가겠단 거 아냐. 내가 너를 몰라?
교영	나 잠깐 일 쉬고 다음이 옆에 있어도, 내 인생 달라지는 거 없어. 엄마도 잘 알잖아. 내가 얼마나 새파랗게 젊은지. 나는 이렇게 시간이 남아도는데. 지금 내가 개 옆에 없으면 나 못 살 것 같아.

157

Episode 9

미선	…당연하지. 엄마도 그렇게 생각하는데, 네가 그렇게 생각 안 하면 어떡하나 했어, 엄마는.
교영	누구 딸인데, 역시 우린 잘 통해.
미선	네가 보던 그 악플 같은 거, 절대 다음이 보여주면 안 돼. 내색도 하지 말고 무조건 다음이 건강만! 애 상태 먼저 챙겨.
교영	그럼! 우리 다음이 괜찮을 거야.
미선	(일어서며) 오늘 갈 거야? 뭘 챙겨 보내야 되나.
교영	있는 거 다 줘봐!

#46. 삼척. 촬영현장. 서점 안. 낮.

조금 굳어있지만 흔들림 없는 표정으로 서점 안에 들어서는 제하.

같은 공간에 있는 여러 스태프들 떨떠름하고 어색하게 인사하고.

제하, 아무렇지 않게 모니터 앞에 앉는다.

모니터에 비친 뒤편에 있던 스태프들이 속삭이는 모습들이 보이고.

철민	뭘 웅성들 거려! 촬영하는데 무슨 지장 있어? 할 일들이나 해.

철민, 앞장서서 카메라 들고 카메라 위치로 가고, 제하, 그런 철민이 고맙다.

곧이어 다음이 들어오고. 다음 역시, 제하와 자신을 바라보는 스태프들의 시선이 어수선한 것을 느끼지만, 최대한 아무렇지 않은 척해본다.

그런 '척'하는 다음의 모습을 제하가 안쓰럽게 보는.

서영, 기사를 계속 보고 있고. 옆에는 정우가 분장을 받고 있는.

> 정우   (진미 눈치 보며 서영에게) 선배님. 그거, 현장
>   사람이 찍은 것 같더라구요.
> 서영   …그러네.
> 정우   (서영의 상태를 캐치하고) 아, 선배님이랑
>   잠깐 얘기 좀 해도 될까요, 실장님.
> 진미   다 끝났어. 천천히 나와요 둘 다.

진미가 나가자 가방에서 신경 안정제를 꺼내 먹는 서영.
정우, 물 챙겨주는. 서영, 그런 정우를 보며

> 서영   (생각이 복잡하다)… 고마워…
> 정우   응… 뭐, 이 정도로…

약을 먹는 서영. 두 사람의 어색한 침묵. 정우, 서영의 눈치를
보다,

> 정우   … 근데 그 기자… 고대표랑 친한 사이지?
> 서영   고대표는 아니야… 그런 사람 아냐.

현장은 유난히 조용하다. 평소의 현장과는 다른 분위기.
(밖에 선 현상이 서점 창문을 통해 해맑게 웃으며 통화하는   159
규원을 보며 고민하는 장면) 을 준비 중인 정우와 다음,
대본상 추가된 장면들을 확인중이고.

정우	(분위기 살피다, 다음 보고) 집중… 할 수 있지?
다음	(똑바로 보고, 힘 들어가며) 네. 오늘도 최선을 다해서 선배님 사랑해보겠습니다.
정우	(내심 대단해서) 진짜 보통 배짱이 아니네.

유홍, 다음 곁으로 다가오며.

유홍	준비… 되셨어요?
다음	(큰 소리로) 그럼요! 전 준비됐습니다.

제하, 헤드셋으로 들리는 다음의 우렁찬 말에 마음이 놓이는 표정으로.

제하	레디… 액션.

#49. 삼척. 촬영현장. 분장차 안. 낮.
서영, 생각에 잠겨 있다.

INS. 제하	**네가 어떤 선택을 하든, 돌고 돌아 네 상처가 되지는 않았으면 좋겠다.**

그때, 재인이 들어온다.

재인	고생하셨습니다 선배님!
서영	응, 재인인 한 씬 남았지?
재인	네, 저… 선배님, 제가 그랬죠. 걔 진짜 이상하다니까요.

160

서영	걔?
재인	이다음이요. 이 상황에서 저렇게 뻔뻔하게 웃는 것도 재주 아니에요? 감독님 방을 그렇게 드나들면서 순진한 척은 혼자 다…
서영	감독님 방은 나도 가고 너도 가고 배우들 대부분이 들어갔는데 누가 숨어서 찍은 사진으로 보니까, 어그로 제대로더라. 자극적이고.
재인	뭐 아니 땐 굴뚝에 연기 나나요. 이건 오디션부터 예정된 파국! 터질게 터진 거죠.
서영	근데… (무심히) 둘이 친구라고 하지 않았어?
재인	(쎄한 소름이 끼쳐 서영을 보는) 네?
서영	(텀블러 들어 한 모금 마시고) 왜 그렇게 적대적이야?
재인	(당황하고) 설마… 지금 절 의심하시는 거예요? 제가 뭐 이거 찍어다가 제보했다고?

INS. 코너에 자세를 낮춘 채 사진을 찍고 있는 재인을 보곤 슬며시 돌아서는 서영.

서영	(일어서는) 아니, 내가 왜 의심을 해. 실제로 봤는데. 네가 찍는 거. 감독님 방을 다음 씨 혼자만 가는 건 아니잖아?
재인	선배님! 오해예요! 제가 무슨!
서영	남을 끌어내려서 내가 얻는 건 보통 별 의미가 없더라고. 후배님. 좀 꼰대 같아도… 참아. 나도 안 지 얼마 안 됐거든.

161

서영, 재인을 지나쳐 나가는. 자존심 상해 부들거리는 재인.
폰을 꺼내 희태에게 전화 거는데 안 받고.

#50. 한국대병원. 정효 연구실 안. 낮.

미선, 노크를 하고 조심스레 문을 여는데… 보이는 건
무너지는 얼굴로 쌓인 논문을 박스에 신경질적으로 집어넣는
정효의 모습이다… 놀랐지만 이내 아무렇지 않은 얼굴로.

미선	걱정돼서 와 봤어요. 다음이 아빠. 워낙 강한 분인 건 알지만…
정효	죄송하고 면목 없습니다.
미선	(끄덕이고) 걱정 마세요. 교영이가 다음이는 끔찍하게 잘 케어 하잖아요.
정효	저보다 낫죠. 언제나 그랬죠.
미선	…요즘, 다음이 처음 봤을 때가 생각나요.

#51. 과거. 운동회. 초등학교 운동장. 낮.

2학년 다음이 운동장 한가운데 서 있다. 운동회
점심시간이라 그늘 곳곳에 돗자리를 펴 놓고 가족들이
삼삼오오 모여 있는데, 다음만 멀뚱히. 미선, 그런 다음을
빤히 본다. 다른 가족들을 바라보며 어쩌나 싶은 다음을
뒤에서 툭툭치는 교영.

다음	?
교영	너 우리 엄마가 오래.

162

CUT TO.
유부초밥과 방울토마토. 눈치 보며 바라만 보고 있는 다음.

걱정스레 보고 있는 미선.

> 교영   너 엄마 없다며?
>
> 미선   야. 곽교영.
>
> 교영   (힐끗 보고 삐죽) 아니, 난 아빠 없어서. 그거
>   말해주려고.
>
> 미선   얼씨구.
>
> 교영   왜 안 먹어?
>
> 다음   이게 뭔데?
>
> 교영   유부초밥. 안 먹어봤어? (다음에게 먹여주는)
>
> 다음   (받아서 한입 먹고, 웃는)

다음의 미소를 보고 그제서야 따뜻하게 웃는 미선.

#52. 한국대병원. 정효 연구실 안. 낮.

> 미선   첨엔 그늘져 있는 아이인가 싶어 마음이
>   갔는데, 어찌나 잘 먹고 잘 웃던지.
>
> 정효   …
>
> 미선   아프고 나선 아빠가 상처받을까, 우리가
>   걱정할까 싶어서 더 웃고. 힘든 내색 하나 안
>   했던 애예요.
>
> 정효   압니다. 저는 자격 없는 사람입니다.
>
> 미선   자격 없는 부모가 어딨어요. 포기하지 마세요.
>
> 정효   (무너질 듯) 자꾸 흔들려요. 제가 아무리
>   발버둥 쳐도 나아질 희망이 안 보입니다.
>
> 미선   지금은 다른 희망을 찾아야 돼요.
>
> 정효   …
>
> 미선   그때 운동장 한가운데 서 있던 다음이가

163

Episode 9

얼마나 외로웠을지 그걸 생각하셔야 돼요.
이제는 의사보단 아버지로서. 다음이가
원하는 게 무엇일지. 남은 시간 동안 그걸
같이 만끽해야 돼요.

정효   …두렵습니다.

미선   압니다. 다음이 아빠. 그래도, 무너지면 안
            돼요.

정효를 걱정스레 바라보는 미선…

#53. 삼척. 촬영현장. 식사구역. 낮.

다음이 식판을 든 채 서있고. 자리 잡은 스태프들 사이를
지나가자, 핸드폰을 든 채 속닥이는 사람들. 그 시선들을
느끼며 준병이 자리 잡은 곳까지 간다. 준병, 일부러 제하와
널찍이 떨어져 앉은 것 같은 자리에 있고. 제하, 유홍과 앉은
채로 다음이 가는 곳을 본다. 다음, 애써 제하를 지나쳐
준병의 앞에 마주 앉고.

준병   아무래도 오늘은 떨어져 앉는 게 편할 것
            같아서. 이거 먹고 저녁 씬 하나 찍으면
            끝이네. 얼른 먹어.

다음   (안 내키고, 깨작깨작) 먹어야 되는데…

준병   입맛이… 없어?

164   이 때, 다음의 뒤에서 나타나 테이블에 보자기로 싼 도시락을
        턱하고 내려놓는 교영.

교영   입맛이 왜 없어!

다음	!?
교영	이야. 무슨 배달을 삼척까지 오냐. 줘. 배달팁.
다음	야… 너…! (놀라서 울컥하고)
교영	(앉고, 보자기 풀면서) 촬영장 밥 되게 잘 나오네. 우리 미선 씨 도시락 기 죽겠는데?
다음	(미안해서, 속상한) 너 왜 왔어… 회사는.
교영	휴직.
다음	하… 왜에. 휴직을 하면 어떡해.
교영	그럼 어떡해. 네가 이렇게 밥도 깨작거리며 제대로 안 챙겨먹는데 내가 살겠냐?

박수치는 준병,

교영	뭐예요?
준병	이 의리. 이 우정. 둘은 도대체 무슨 사이예요?
교영	(긁적이고) 사랑하는 사이죠.
준병	멋집니다. 그 도시락도 엄청 멋져 보여요.
교영	(서둘러 풀어 펼치는) 너 기분 잡쳤을까봐 잡채. 이런 위기는 가볍게 덮어버리라는 의미의 덮밥.
준병	그런 대단한 뜻이… 저도 좀 먹어봐도 될까요?
교영	(손 탁 치고) 이다음. 너 제대로 못 먹는 거 알면 울 엄마한테 나 두들겨 맞아. 먹어 빨리. 아니, 속도는 천천히.
다음	(울컥하고, 씩씩하게 크게 한술 떠서 먹는)

165

다음이 잘 먹자 교영, 그제야 시선을 돌려 주변을 보는데…
멀찍이서 그들을 노려보고 있는 재인과 눈이 마주친다.

#54. 삼척. 촬영현장. 인근 화장실 안. 낮.

재인이 화장실로 들어와 빈칸들을 다 열어 사람 없는지
확인하고.
그제야 희태에게 전화를 거는,

재인	기자님!! 전화를 왜 이렇게 안 받아요?
희태(E)	생각보다 반응이 좋아서, 후속 기사 준비 중이라 바빴어요.
재인	제보자 익명 지켜주는 거. 그거 확실한 거죠?
희태(E)	기자는 신뢰가 생명이죠.
재인	우리가 서로 알고 있다는 사실도 고대표님이랑 채서영! 절대 비밀이에요. 그 둘은 절대 비밀!

불안하게 끊고. 돌아서 나오는데, 띠리링. 녹음 꺼지는 소리.
입구에 서 있던 교영.
그대로 거침없이 안으로 들어온다. 기세에 밀려 뒷걸음질
치는 재인.

재인	야. 뭐야. 비켜.
교영	너 목청 좋다. (핸드폰 들고) 덕분에 녹음이 아주 선명하게 됐겠다. 들어볼래?
재인	(빼앗으려 손짓하고)
교영	(피하는) 어머. 얼씨구.
재인	(짜증나 머리 쥐어뜯고) 아이씨. 뭐!!!! 어쩌라고!!!!
교영	(세면대로 더 밀고 가는) 좀 더 치밀하게. 머리를 좀 써.

166

재인   (세면대에 몸이 닿고) 뭐?
교영   (한 대 치려는 듯 손을 대려다, 재인 뒤로
           세면대 물을 틀고) 이렇게 틀고 떠들어야
           남들이 못 듣지. 이 미친…아, 됐다.

교영, 물 끄고, 멍해있는 재인을 보며.

교영   사실 미친년은 나지. 한때 친구라고 생각해
           되도 않는 부탁이나 한 내가. 내가 미쳤지. 너
           다음이한테 사과해.
재인   그냥 이다음한테 가서 말해. 내가 찔렀다고.
           아니다. 나가서 확성기 대고 떠들어.
교영   그건 당연히 할 거고. 사과는 해야지.

먼 곳에서 교영아- 부르는 다음의 소리.
곧이어 다음이 들어오고.

다음   둘이 뭐해?
교영   (열 받지만 참고) 하, 나가자, 다음아.
재인   (비웃고) 센 척 제대로 하더니 왜 꼬랑지를
           내려.
다음   왜 그래. 무슨 일인데.
재인   너 기사난 거. 내가 제보했어.
다음   ?! 네가… 왜?
재인   뭘 왜야. 내가 널 못 참겠으니까. 너
           감독님이랑 뭐 있는 거 맞잖아. 오디션도
           영화 주인공 자리도… 그렇게 쉽게 가졌잖아.
           아냐? 너 정말 순수하게 네 실력으로

167

올라와서 운명적으로 감독님하고 만나?

다음   …아니. 나 안 순수해. 다 의도적이었지. 근데…
그걸 네가 못 참을 이유는 또 뭐야?

재인   (분노가 차오르고) 그래. 진작에 이렇게
나왔어야지. 이게 진짜 네 모습이지. 믿었던
사람 뒤통수치는 건 여전하다.

교영   (나서며) 야, 뒤통수라니. 네가 뭘 알아. 어???

다음, 흥분한 교영을 데리고 나가고… 화나서 펄쩍 뛰는
교영을 달래는 다음.
그 모습을 멀리서 지켜보는 서영. 혼자 남은 재인 역시 화가
식지 않는 표정으로…

#55. 삼척. 촬영장 인근 주차장. 낮.
주차장에 도착한 승원의 차.

#56. 삼척. 촬영현장. 풍광 좋은 곳. 낮.
인적이 드문 곳에서 다음, 바뀐 대본을 줄 치면서 열심히
보고 있는데,
서영, 호밀빵 샌드위치를 내미는. 다음, 받아 들고 한입 베어
먹는.

서영   (기 죽어있는 다음을 빤히 보다) 자긴
주인공이야.

다음   ?!

서영   죽을 힘 다해서 여기 이렇게 올라와 이 자릴
차지했으면 몸에 힘 딱 주고 버텨야 돼.

다음   (울컥) 네… 고맙습니다.

168

서영	(일어나려다 말고) 못 하겠다. 안 되겠어.
다음	?
서영	착한 척, 다 이해하는 척, 못 하겠다고. 나 다음 씨 밉고, 싫어.
다음	…!
서영	(보고) 근데. 왜 밉고 싫은지 답을 못 찾겠어. 아무리 작정해도 못 미워하겠어. 뭘 잘못했다구. 이렇게 잘 버티고… 최선을 다 하는데…
다음	선배님…
서영	그래서 나, 그냥 다음 씨랑 끝까지 영화 찍어 보려고. 찍다 보면 왜 밉고 싫은지 답을 찾을 수 있겠지.
다음	…
서영	자긴 가련한 주인공 해. 난 그런 주인공 괴롭히는 악역 할게. 우리 끝까지 영화 찍어보자. 그러다 보면 이게 정말 나한테 맞는 역할인지 알 수 있겠지.

서영, 쌩하게 가버리고, 다음, 서영의 말에 미안함과 고마움이
동시에 느껴진다.

#57. 삼척. 촬영현장. 서점 뒤편 인근. 낮.
제하가 생각에 잠긴 채 서점을 나오는데 그 앞을 승원이
가로막고서…!

169

승원	영진그룹 채용 비리 터지고 투자한 영화까지 주인공 특혜 논란 터지니 투자 빼겠다 생지랄 났어. 당연한 수순이지. 나라도 그러겠다.

제하	…아니라는 거 형도 알잖아. 오디션 영상과 점수표 공개할게.
승원	퍽이나 믿어주겠다. 이미 대중들은 결론 내렸어. 거기다 대고 순진하게 우린 공정했어요. 그러겠다고?
제하	어, 우스워 보여도, 믿어주지 않더라도 그렇게 하고 싶어.
승원	기다려. 고민 중이니까.
제하	이번 일로 지체될 시간이 나랑 이다음에겐 없어.
승원	시간이 없긴 왜 없어! 그렇게 급하게 들이받을 문제 아니야.
제하	형도 알잖아.
승원	뭘 안다는 거야!
제하	이다음 시한부인 거.
승원	…!
제하	형이랑 한상무 두 사람 다, 처음부터 알고 시작했잖아.

승원, 순간적으로 소스라치게 놀랐을 것 같은데, 굳은
표정으로 가만히 제하를 바라본다.
그런 승원을 바라보는 제하. 슬픈 것 같기도, 미소를 띤 것
같기도 한… 표정으로.

170 **#58. 승원의 회상. 제작사 승원 방 안. 낮.**
3부 6씬 이어서. 제하가 쌩하고 나가고, 승원, 나간 문을
뚫어지게 쳐다보며

승원   미친 놈. 지 혼자 예술하네.

이어서 한숨 쉬며 고개를 떨어뜨리는데, 승원의 시선이 한
메모리카드로 향한다.
메모리카드를 재생하자 다음과 제하가 나눴던 밀담들이
나온다.

(영상 속 내용)
다음   관객들한테는 지겨울 수 있죠. 심지어 감독님도
            지겨워 보이시는데… 그런데 당사자인 저는,
            지겨울 수가 없죠. 그 흔해 빠진 시한부라는
            소재가 내 일상이 되면요, 하루하루가 박진감
            넘쳐요. 이만한 메소드가 어딨겠어요.
제하   그 말은, 그쪽 병을 영화에 이용해도 괜찮다는
            말로 들리는데.

#59. 승원의 회상. 시사실 안. 낮.
화면에 다음의 신발끈을 묶어주는 제하의 모습이 나오고
있다.

(영상 속 내용)
제하   조건이 있어요. (일어서고) 죽지 마요.

죽지 말라는 제하의 당부를 들은 한상무의 표정, 짐짓
흥분되어 보이고.   171

한상무   (박수치며) 둘이 아주 영화를 찍고 있네.
승원   하하… 그죠? 찍다 죽으면 쪽박이지만,

Episode 9

찍고 죽으면 이거… (잠시 망설이다가) 대박.
아닙니까?

한상무   와. 소름. 나도 똑같이 생각했어요.

승원   (찜찜하고 마음이 불편하지만) 아… 하하.
통했네요.

한상무   (방긋 웃고) 재밌으니까. 계약서 쓰죠.
쪽박이냐 대박이냐. 영화로 도박할 줄은
몰랐네?

승원   …! 감사합니다. 감사합니다 상무님!

한상무   이감독한테는 우리가 알고 있다는 거 숨기죠.

#60. 삼척. 촬영현장 인근. 밖. 낮.

57씬 이어서. 승원, 놀랐던 표정을 풀고.

승원   하아… 미친 새끼. 너 진짜 미친놈이야. 됐고!
…이젠 서로 다 까고 얘기해도 되는 거지?
(번뜩) 그래, 그 보험. 타 먹을람 지금 이
사달이 나면 안 되는 거거든.

제하   형이 그려놓은 그림. 있겠지. 내가 써놓은
비극, 형이 팔아줬음 해서 떠넘긴 거야.

승원   시원하네. 이제 좀 말이 통하고.

제하   (OL) 근데… 형. 나 미친놈이고 후진 놈인 거
아는데… 이제 와서… 다르게 살고 싶어졌어.

승원   다르게? 네가 어떻게 다르게 살 건데.

제하   … 나, 이다음… 진짜 사랑하고 있어.

승원   (미치겠다) 돌은 새끼… 너 이다음 이용해서
판 짜달라고 나한테 일부러 흘렸다며. 너
이다음 진짜 죽을 시한부라 혹했던 거잖아.

172

	그래놓고 이제 와서? 뭐, 진짜 사랑?
제하	어, 이제 와서 내가 이다음 사랑해. 그러니까 형이 나 좀 도와주라.
승원	정신 차려 이 새꺄… 너… 걔가… 어떤 앤지 몰라?
제하	첨엔 나도 이용하려고 했지. 이다음이 죽든지 말든지 아무 상관없다 했는데… 이젠… 이다음이 아플 거 생각하면 숨이 막혀. 죽는다 생각하니까 미치겠어. 형, 나 시간이 없어.
승원	시간 없는 건 나도 마찬가지야. 여기서 영화 멈추면 너만 손해 아니야. 한상무가 눈물의 사죄쇼를 원해. 내가 준비할 테니까 대본이나 잘 써놔.
제하	형!
승원	이다음 시한부인 거 잘 숨겨. (잠시 망설이다) 이 영화는 한상무 돈으로 찍고 있고, 한상무는 시한부를 최고의 타이밍에 쓸 거야.

승원, 제하를 남겨두고 가버린다. 제하, 가는 승원을 보다
다음에게 전화 건다.

제하	어디에요?

#61. 삼척. 촬영현장 인근. 석양.

서영과 이야기 나누었던 곳에 앉아 바다를 보고 있는 다음.   173
제하, 옆에 앉는다.

제하	뭘 보고 있어요?

다음	저 파도 말이에요. 부서지고 계속 만들어지잖아요. 내 삶도 이렇게 계속 부서지고 다시 만들어지면 얼마나 좋을까 싶어요. 끝을 생각하지 않고. 끝없이.
제하	(파도 보며) 지금 이 상황, 다 내 책임이에요.
다음	네?
제하	다음 씨 아픈 거… 우리 2차 오디션 영상… 내가 승원이형, 한상무한테 일부러 흘러가게 만들었어요. 영화 투자 받으려고.

다음, 제하를 빤히 본다.

다음	(다시 바다를 보며) 그래서 뭐요. 감독님만 절 이용한 게 아니에요. 정확히는, 잃을 게 아무것도 없던 6개월 남은 시한부 환자가 앞길 창창한 감독을 캐스팅에 이용한 거예요.
제하	…
다음	미안해하지 마요. 우린 서로를 이용했으니까. 그리고 지금 너무나 내가 원하는 대로 되고 있거든요.
제하	?
다음	나는 남들처럼 살고 싶었어요. 죽는다는 거 빼곤, 남들이랑 너무 달라. 고생길도 없고 비포장도로도 없었어. 죽을 애니까, 딱한 애니까, 엄마도 없고 외로울 테니까. 그러면서 다들 날 보호해 줬어. 근데 난 그렇게 안전하게만 살고 싶은 생각 없었거든요.
제하	(이해되는, 울컥하고) 그럼 어떻게 살고

174

싶은데요?

다음   더 슬퍼하면서 살고 싶어. 더 상처받고
싶어. 다들 이런 거 살면서 자연스럽게
겪게 되겠지만 나는 못 해봤어. 말했잖아요.
아쉬운 맘 그거… 사람 돌게 만든다고.

제하, 다음을 바라보다 품 안에서 무언가 꺼내 다음에게
준다. 다음, 받아서 펼쳐본다. 준병의 가게에서 썼던
비밀유지 계약서다.

제하   이 계약서, 서로 두려워서 쓴 거잖아요.
들키면 비난받을까 두렵고, 이 영화를
놓칠까 두렵고.
다음   …
제하   우리 한 번씩 어겼어요.

INS. **승원에게 오디션 영상을 흘리는 제하.**
INS. **7부 51씬. 서영에게 시한부임을 알리는 다음.**

다음   그러네요. (제하에게 돌려준다) 이제 소용없는
계약서네.
제하   (천천히 접어 손으로 찢는) 맞아요. 그러니까
계약 파기야.

다음, 놀라고. 제하, 찢어진 계약서를 손으로 구겨 쥔다.   175

제하   이젠 두렵지 않아요.
다음   감독님…

제하	나, 앞으로 무슨 일이 일어나도 다음 씨랑
	한편 먹고 한번 부딪혀 보려구요. 같은 편,
	할래요?
다음	(뭉클) …우리 계약서도 없는데 운명 공동체,
	유효한가요?
제하	그럼요. 우린 여전히 서로가 필요하니까.

제하와 다음 서로를 깊이 바라본다. 그 너머로 붉게 물든
하늘.

#62. 삼척. 촬영현장. 주차장. 밤. 밖.

주차된 차에서 민석이 급하게 내리고, 현장을 둘러보다
아무나 붙잡고 길을 묻는데,
그런 민석을 잔뜩 경계하고 되물어보는 사람… 고대표다.

| 민석 | 혹시… 이다음 배우가 있는 곳이 어딥니까? |
| 고대표 | 누구세요? |

#63. 삼척. 촬영현장. 규원의 서점 마당. 밤.

자리 잡고 리허설 준비하는 다음. 촬영 현장으로 걸어오는
제하. 현장으로 돌아온 승원, 장비 들고 뛰어가던 스태프가
승원을 치고 죄송하다 인사하고 뛰어가는, 승원 괜찮다며
가보라고 하고. 한상무에게 전화 오고. 에라 모르겠다
받아버린다.

176

승원	상무님, 안 그래도 전화 드리려던 참인데,
한상무(E)	나한테 굿 아이디어가 하나 있어요.
승원	…예?

한상무(E)	생각해보니까 이다음은 필요하거든.
	컨셉도 좋고. 일 시끄럽게 만들지 말고
	이제하 한 명만 치우죠.
승원	치운다는 게… (돌아서 받고) 감독을,
	치우라뇨. 그게 무슨…
한상무(E)	이다음은 살리고, 아. 살린다는 표현은 좀
	그런가? (웃고) 뭐 어때요. 재밌죠?
승원	…재미요?
한상무(E)	감독을 버리면 투자는 유지할게요.
	선택하세요.
승원	상무님!

한상무, 전화를 끊고… 승원, 복잡한 얼굴. 그때 제하가 현장
한가운데 선다.

제하	밤 씬 찍기 전에 잠깐 말씀드릴 게 있습니다.
	오전에 기사 때문에 시끄러운 거 알고
	있습니다. 현장에 누를 끼쳐 죄송합니다.
철민	무슨 죄송까지. 일하다 보면 이런 일 저런 일
	있는 거지 뭐.
진미	그래요, 너무 신경 쓰지 마세요.
승원	자, 일단 뭔가 오해가 있었던 것 같아요.
제하	오해의… 반은 맞고, 반은… 아닙니다.
진미	어떤 반이 맞는 거고… 어떤 반이 아닌… 거야?
제하	제가 이다음 씨에게 사적인 감정을 가진 채로
	오디션을 진행했다는 건 사실이 아닙니다.

177

사람들 웅성거리고.

Episode 9

제하	이다음 씨가 제 방으로 들어오는 사진은 다른 배우들과 마찬가지로 회의 차 방문했던 거구요.
철민	그치. 다 그런 줄 알아요.
제하	(망설이지 않고) 그리고 제가 이다음 씨 좋아합니다.

사람들 허어억하고 놀라고. 재인, 그럴 줄 알았다는 얼굴.
서영, 차분하게 듣고 있다.
정우, 그런 서영을 바라본다.
고대표와 민석도 멀찍이 현장 한편에서 놀란 표정으로 함께
서있다.
다음, 자리를 옮겨 제하 옆으로 간다. 현장 스태프들은 이게
뭔 상황인가 싶고.

다음	(떨리는, 고개 숙여 인사하고) 죄송합니다.
진미	이게 우리한테 고개 숙여 사과할 일이야? 왜 그래. 다음 씨. 사랑하는 거 죄 아니야.
철민	(옆에서 고개 *끄덕끄덕*)
다음	제가요… (울컥하지만, 참고) 죽기 전에, 이 영화를 꼭 만들고 싶었어요. 그렇게 여기까지 왔습니다.

다음, 제하 처다보고, 제하, 다음에게 살짝 *끄덕*이며,
괜찮다는 듯이.

다음	(심호흡) 저는 시한부예요.

178

사람들은 일제히 술렁이고, 다음의 말뜻을 이해 못 해
어리둥절한 분위기.

> 다음 이 영화는 제 생애 마지막 영화예요. 저는
>   시한부 연기를 하는 진짜 시한부 환자입니다.
>
> 제하 그리고 저는 이다음 씨가 시한부인 걸 알고
>   캐스팅했습니다.

술렁이는 현장. 그때, 하늘에서 눈이 내린다.
내리는 눈이 조금씩 느려지고, 고요한 세상 속,
멈춰있는 제하와 다음. 일순간 둘만 남겨진 것 같은 느낌.
천천히 고개를 돌려 서로를 보는 제하와 다음. 그렇게
서로를… 바라본다.
그렇게 서로를 향해… 웃어준다. 아프도록 벅차게. **엔딩.**

179

Episode 10

제하와 다음의 고백에 혼란스러워진 촬영현장.
한상무는 제하를 대신할 새로운 감독을 데리고 나타난다.

#1. 〈하얀 사랑〉의 한 장면. 세트장 뒷골목. 밤

불붙이려던 담배를 한 손으로 으스러뜨리는 현상(제하).
어딘가로 가려는데 그 앞을 가로막는 정화(서영).

> 정화(서영) 현상 씨, 정신 차려. 현상 씨는 이런 게
> 어울려. 결국 네 주위엔 아무도 없을 거야.
> 외롭게 혼자 죽기 싫으면 나라도 붙잡고 살아.

정화(서영)가 차갑게 쏘아대는 말들을 일그러진 표정으로
듣고 있는 현상(제하).

#2. 정릉 제하의 본가 안. 밤. (이후 61씬과 연결)

거실 소파에 홀로 앉아 공허한 표정으로 주위를 둘러보는
제하…

– 타이틀, 〈우리영화〉 –

#3. 서점 인근. 밤.

9부 63씬 이어서.

> 다음 이 영화는 제 생애 마지막 영화예요. 저는
> 시한부 연기를 하는 진짜 시한부 환자입니다.
> 제하 그리고 저는 이다음 씨가 시한부인 걸 알고
> 캐스팅했습니다.

181

현장에 있던 모든 이들의 충격 받은, 믿을 수 없는 얼굴.
정적이 흐르고…

다음	아픈 사람 마음은 아픈 제가 누구보다 잘 아니까 이 역할을 꼭 하고 싶었어요. 어쩌면 나도 주인공처럼 살아 볼 수 있겠구나 욕심이 났어요. 환자 이다음은 잊고 배우 이다음으로 살고 싶었어요.
사람들	…
다음	여러분들과 한 씬 한 씬 함께 만드는 하루가 제겐… 하루를 더 사는 것보다 소중해졌어요. 그래서 더 이상 거짓말하고 싶지 않습니다. 늦었지만… 정말 죄송합니다.

다음, 깊이 고개 숙인다.
서영, 다음의 고백을 들으며 다음과 제하, 두 사람의 얼굴을
빤히 바라본다.
서로를 바라보고 있는 제하와 다음의 단단한 얼굴.
무겁게 가라앉은 분위기. 눈은 계속 내리고… 놀란 얼굴이지만
침착하게 유홍이 정적을 깬다.

유홍	눈… 계속 오네요. 감독님. 촬영 힘들 것 같아요.
제하	(고개 *끄덕*. 스태프들 보며) 모두 고생하셨습니다. 오늘은… 철수하죠.
철민	(계속 벙쩌 있는 퍼스트에게) 호섭아, 일단 장비부터 넣자. (조명감독에게) 우선… 철수부터 합시다.

182

스태프들, 분주히 장비를 철수한다. 충격 받은 표정의 재인,
덜덜 떨고 있는.

그렇게 각자의 시간이 흘러가는 현장.
그 상황을 지켜보는 승원, 화난 듯한.
서점에는 눈이 계속 쌓여 간다…

#4. 서영의 밴 안. 밤.

서영이 밴을 열면 안에 고대표가 있다.

> 고대표   (통화 중) 어, 내가 문자 보낼 테니까
>   그거대로 보도 자료 준비해 놔. (끊고)
> 서영   (문 닫고 앉는)
> 고대표   은혜야. 출발해.

은혜, 눈치 보고. 민희, 걱정스럽게 뒤를 본다.

> 서영   잠깐만.
> 고대표   짐 다 싸 놨어. 넌 이제 서울 가. 다른 건
>   내가 다 해결할게.
> 서영   (감정 누르며 민희 본다) 민희 실장님.

민희, 은혜 데리고 차에서 내린다. 걱정되는 눈으로
동동거리며 멀찍이 자리를 뜨는.

> 고대표   (사뭇 침착한) 내일 아침이면 소문 다 퍼질
>   거고 온갖 기사 터져 나올 거야. 이거 백
>   프로 엎어져. 미리 발 빼. 길게도 아니야.
>   한 두어 달 여행 다녀와. 쉬는 동안 차기작
>   만들어 놓을게.
> 서영   …내가 잠시 도망쳐 쉬는 두 달의 시간이

183

누군가한테는 인생의 마지막 시간이야,
대표님. 아까 같이 들었잖아.

고대표   그게 대체 너랑 무슨 상관인데? 이제하 미친
        짓에 너까지 휘말린다고!

서영   영화 시작 전에 다음 씨 아픈 거 알고 있었어.

고대표   알고 있었다고? (실소)

서영   나, 이 영화, 끝까지 찍어보려고. 끝까지 찍다
        보면 이게 정말 미친 짓인지 아닌지 알 수
        있겠지.

고대표   (한참을 보다) …이 영화가 도대체 뭐라고…

고대표, 서영을 두고 내리고, 서영, 그런 고대표를 한참 동안
본다.

#5. 리조트 가는 길. 밤.

우산을 쓰고 걷고 있는 제하와 다음. 다음, 멈춰서 내리는
눈을 향해 손을 뻗는다.

다음   첫눈이에요.

제하   (옅게 웃고) 맞네, 첫눈이네. (점퍼 벗어서
        다음에게 입히고)

다음   감독님하고 처음 보는 첫눈.

제하   …(보고)

다음   (지퍼를 올려주는 손길 보다) …아까 사람들의
        표정들을 보면서 어떤 생각했는지 알아요?

제하   어떤 생각했어요?

다음   망했다.

제하   (옅게 웃고) 그런가.

제하, 다음을 바라보며 회상

#6. 과거. 제하의 회상. 삼척. 촬영현장 인근. 석양.
9부 61씬 이어서.

제하 이 계약서, 서로 두려워서 쓴 거잖아요.
    들키면 비난 받을까 두렵고, 이 영화를 놓칠까
    두렵고. 근데 이젠 아니에요. 난 지금. 내 앞에
    있는 다음 씨랑 그게 뭐든 함께 겪을 거예요.
다음 …감독님.
제하 나 다음 씨랑 한편 먹고 한번 부딪혀
    보려구요. 같은 편, 할래요?
다음 (뭉클) …우리 계약서도 없는데 운명 공동체,
    유효한가요?
제하 그럼요. 우린 여전히 서로가 필요하니까.

제하가 일어나 다음에게 손을 건넨다. 다음, 잡고 일어서는.

다음 제가 어떤 맘으로 이 영화를 하고 있는지
    우리 스태프들에게, 소중한 사람들한테
    솔직하게 얘기하고 싶어요.
제하 (묵묵히 듣는다)
다음 제 병을 이용하려는 누군가에게 휘둘리기도
    싫어요.
제하 …   185
다음 남한테 휘둘리면서 사는 거, 내 스타일
    아니거든요.
제하 (말없이 본다)

다음	내가 죽을 날을 받아놓은 거지. 죽을 죄를 지은 건 아니잖아요.
제하	우리의 선택이 어떤 사람들한테는 상처일 수 있어요. 우릴 믿고 있는 사람들을 속였으니까.
다음	…
제하	세상에 알려지면… 영화가 엎어질 수도 있어요.
다음	…
제하	근데, 내가 끝까지 이 영화 안 놓을 거예요. 내 편이 너무 든든하거든요.
다음	…
제하	그리고… (잠시 뜸 들인다)
다음	?
제하	이번엔 내가 든든한 다음 씨 편 할게요.
다음	…네.

다음, 제하를 말없이 지켜보다 제하의 손끝을 꼭 잡는.

#7. 현재. 리조트 가는 길. 밤.

다음	우리 둘만의 영화가 아니라 우리 모두의 영화니까… 솔직하게 말하고 싶었는데… 너무 늦은 건 아니었을까.
제하	아니요. 더 늦기 전에 다음 씨만 할 수 있는 방법으로 잘 얘기했어요.
다음	(제하 손을 꼭 잡으며) 고마워요. 말할 수 있게 해줘서.

186

그런 둘에게 다가오는 민석, 안쓰러운 얼굴로 제하와 다음을 보고.

민석   이다음!

민석이 두 손에 들린 짐을 흔들며.

민석   열 좀 내리게 약 좀 맞읍시다.

#8. 다음의 숙소 안. 밤.
민석이 링거를 놓고 있고, 긴장이 풀린 듯 잠에 든 다음,
그 옆을 지키고 있는 제하.

민석   걱정 안 해도 돼요. 지금은 그냥 재운 거니까.
        푹 재우고 병원으로 옮겨야 돼요.
제하   (다음에게 눈을 못 떼고) 다음 씨 상태가 안
        좋은가요?
민석   …내가 이 밤에 여길 왜 왔겠어요.
제하   …
민석   얘 이제 안 돼요.
제하   네?
민석   이 악물고 참고 있던 거예요. 약으로 버티는
        것도 한계라구요. 검사 결과가 안 좋아요.
        감독님이 속은 거예요. 얘가 이렇게 연기를
        잘해.

제하, 물끄러미 잠든 다음을 바라본다.
이때, 밖에서 노크하는 소리. 제하가 가서 여는데, 승원이다.   187

승원   (방 안쪽에 시선 주고) 나와.

Episode 10

#9. 복도 앞. 밤.

승원, 화난 듯 성큼 돌아서서.

승원	(소리치려다 조용히) 숨기랬잖아…!!! 네가 지금 무슨 짓을 한 줄 알어?
제하	형, 다음 씨 정말 아파. 숨기고 싶어도 더 이상 못 숨겨.
승원	그래서 시원해?
제하	…
승원	아까 스탭들 얼굴 봤지? 그게 대중들의 얼굴이야. 미쳤구나 니네… 하는 그런 얼굴.
제하	…
승원	부디, 뒷감당은 생각하고 저질렀기를 바란다.

승원, 가버리고, 그런 승원을 보는 제하.

#10. 리조트 라운지. 밤.

과자 두어 봉지에 맥주 캔. 철민과 진미, 조명감독, 미술감독, 제작팀장, 유홍이 모여 있다.

조명감독	대단하다고 칭찬을 해줘야 돼, 미쳤다고 욕을 해야 돼.
미술감독	생각해보면 이감독님 한 5년 암것도 못 했잖아요. 그래서 이런 무리수를 둔 게 아닌가…
유홍	다음 씨가 오디션 보러 왔을 때부터 지켜봤거든요. 얼마나 간절했으면 그 몸으로…
조명감독	아무리 간절하다고 해도, 그 상태로 무슨…

188

	게다가 둘이 사귄다며. 이건 또 무슨 폭탄이야?
진미	전적으로 둘의 문제예요. 우리 상식으론 감히 이해라는 걸 할 수도 없고 할 필요도 없구요. 막말로 나라면 못 해요. 그런 어려운 사랑, 영화 속에만 있는 줄 알았지…
철민	그런 어려운 사랑, 영화 속에만 있었어야 했어요.
진미	(냉정한 태도에 놀라고) 촬영감독님은 무조건 이감독 편일 줄 알았는데…
철민	감독 이제하라면 영화를 위해 그런 선택을 할 수도 있다고 생각해요. 근데, 사람 이제하는 그럼 안 됐죠. 이게 뭐라고 사람 목숨을 겁니까.
제작팀장	(핸드폰 보고 한숨, 일어나는)
유홍	왜 그러세요?
제작팀장	스탭들 하나하나 붙들고 핸드폰 검사할 수도 없고. 벌써 커뮤니티에 누가 올렸어요. 기자들 연락 오고.
유홍	벌써요?
진미	(한숨) 오늘 하루 진짜 기네…
유홍	감독님한테 제가 한번 가볼게요.

진미, 냉소적으로 변한 철민이 계속해서 신경 쓰이고…

189

#11. 다음의 숙소 앞 복도. 밤.

다음의 숙소 문 앞에서 터져 나오는 울음을 꾹 참고 서 있는 준병.

Episode 10

옆으로 유홍이 다가온다.

유홍   감독님 다음 씨랑 같이 있는 거죠? (한숨,
                  준병 살피고) 저기요…

준병   (꾹 참던 울음이 새나온다) 흐… 흡… 네.

유홍   울어요?

준병   (눈물 벅벅 닦는)

유홍   (준병 옆으로 가 주저앉는) 앉아 봐요.

준병   (스르륵 내려앉는)

유홍   (조심스레 토닥이는)

준병   몰랐어요. 그냥 역할이 그래서 몰입하나
                  부다 했어요. 자주 어지러워하기도 했고,
                  체력도 안 좋길래 보약이라도 먹여야 되나,
                  알아보고 있었는데…

유홍   괜찮아요?

준병   하나도 안 괜찮았을 텐데 어떻게 그렇게 연길
                  잘해. 배우는 다 그래요? 막 실생활에서도
                  계속 연기해요? 어떡해요. 하이씨… 아는
                  것도 없는 나 같은 놈이 무슨 매니저.

유홍   (잠시 말없이 보다) 이럴 때일수록 그놈의
                  가시오가피 맨날 달여줘요. 지금 해왔던
                  것처럼 내내 붙어서 다른 매니저들에게
                  유난이라고 계속 욕먹어요. 지금 다음
                  씨에게 필요한 매니저는… 그런 매니저예요.

190

유홍, 할 말하고 준병의 어깨를 살짝 두드려주고 간다.
준병, 고마워 유홍을 바라보는.

#12. 다음의 숙소 안. 밤.

민석이 떠난 다음의 방.

제하, 이불 바깥으로 나와 있는 다음의 손을 꼭 잡고, 한참을 바라본다.

INS. 9씬.

> 승원　　　**부디, 뒷감당은 생각하고 저질렀기를 바란다.**

제하, 생각에 깊이 잠기는 표정.

#13. 삼척 전경. 아침.

눈 덮인 삼척 전경.

#14. 다음의 방 / 서점 현장(눈 덮인). 아침.

다음의 손을 잡고 침대 옆에 엎드려 잠들어 있던 제하.

다음, 잠에서 살짝 깬 채 옆에 있는 제하를 잠시 동안

안쓰럽게 바라보다 제하 전화 진동소리에 다시 눈을 감고,

제하는 조용히 손을 놓고 창가로 가 전화를 받는다.

> 제하　　　어. 홍아.
> 유홍　　　감독님. 밖에 보셨어요?

제하, 커튼을 살짝 연다. 창밖으로 가득 쌓인 눈.

> 유홍　　　눈이 너무 많이 와요, 언제 그칠지도 모르고,　191
> 　　　　　씬들 연결 때문에 치우려면 시간도 걸리고…
> 제하　　　응. 촬영 잠시 멈춰야겠다.
> 유홍　　　그럼. 며칠간 정비의 시간을 가지겠습니다.

Episode 10

제하	홍아.
유-홍-	네, 감독님.
제하	스탭들은 좀… 어때?
유-홍-	…다들 좀 혼란스러워하긴 해요…
제하	그렇겠지. 일단, 다들 서울로 돌아가서 각자 정비 시간을 가지는 게 좋겠다. 부대표님께는 내가 말할게.
유-홍	네. (잠시 망설이다) 감독님은 괜찮으세요?
제하	(피식) 조감독이 감독 걱정을 하냐… (전화 뚝 끊는)
다음	촬영… 멈추는 거예요?
제하	일어났어요? (능청스럽게) 우리 때문 아니야. (커튼 확 걷으며) 눈 때문이지.

다음, 능숙하게 링거 떼고, 팔에 밴드 붙인 후, 창으로 걸어와 제하 옆에 선다.

다음	(창밖으로 시선) 와. 정말 하얗다.
제하	거 봐. 우리 때문 아니라니까.
다음	이 눈이 다 녹으면… 다시 촬영할 수 있을까요?
제하	그럼요. 우리, 영화 완성할 수 있어요. 걱정하지 마요.

제하, 다음을 가만 안아주고.
192 두 사람 너머 보이는 새하얀 풍경.

#15. 리조트 로비. 아침.
로비에 앉아 대화 중인 승원과 제작팀장.

제작팀장	입금 일자가 지났는데 상무님한테서 영
	소식이 없네요. 곧 배우들 출연료 중도금도
	나가야하고, 스탭들 인건비도 나가야
	하는데… 어쩌죠?
승원	어쩌긴. 빌던가. 엎던가. 뭐라도 해야지.
	이감독은?
제작팀장	아, 저기 오시네요.

멀리서 제하가 걸어오고 있고… 그때, 울리는 승원 핸드폰.
'한상무'다.

승원	(급하게 받으며) 네, 상무님. (제하를 쳐다보며)
	네?

#16. 리조트 안 커피 숍. 아침.
승원, 제하와 함께 커피 숍 안으로 들어오는데,
한상무가 누군가와 함께 앉아 있고… 가까이 가 보면,
박감독이다!

승원	미리 말씀을 해주시죠. 갑자기 이렇게
	오시면… (박감독 보고, 당황해서) 어떻게
	같이…
박감독	이 눈발에 오느라 차 몇 번 돌았어요. 죽을
	뻔했네. 이감독, 오랜만이야?
제하	(대답 없이 가만 보고)
한상무	밤에 뭐했어요? 잤어요?
승원	네?
한상무	내가 어제 저녁에 얘기 했잖아요. 내 아이디어.

193

승원	(제하 눈치 보고) 저한테 시간을 좀 주셔야죠.
한상무	줬잖아요. 근데… 엉뚱한 아이디어를 냈네?
승원	무슨…
한상무	어제 이다음 시한부라고 스탭들 앞에서
	당당히 공표했다면서요? 기자들 불러 카메라
	뻗쳐놓고 하라니까 왜 이렇게 약소하게 했어요.

한상무, 승원에게 보던 태블릿 건네고,
기사의 헤드라인, **[초유의 사태! 〈하얀 사랑〉, 실제 시한부 환자
캐스팅 의혹 불거져…]**
전날 다음의 시한부 고백과 관련된 의혹을 제기하는 기사.
읽고 있는 승원에게,

박감독	이감독, 야~ 역시 인물이야.
한상무	박감독님. 주위 좀 둘러보고 와요.
박감독	아, 예예.. 그럼 전, 배우들 좀 만나볼까…

한상무의 말에 급히 일어나 눈치 보며 나가는 박감독.

#17. 리조트 로비 안. 아침.
로비로 들어선 박감독, 지나가던 조명감독과 마주치고.
조명감독, 박감독 알아보고 눈이 커지는!

#18. 리조트 안 커피 숍. 아침.

194	한상무	찍다가 죽으면 쪽박이지만 찍고 죽으면
		대박이다. 내가 부대표 그 말 한 줄에 꽂힌
		거거든.
	제하	(한상무를 경멸스럽게 본다)

한상무	이감독이 그런 눈빛을 보낼 자격이 있나? 이다음 이용하자는 아이디어는 제일 처음 그쪽 머리에서 나온 거잖아.
제하	감독 교체를 원하시는 건가요?
한상무	내가 이감독 치우라 그랬거든. 이다음은 살리고 감독은 바꾸라고.
승원	상무님. 이거 상무님 회사 아니고… 영 니다. 상무님은 투자를 하시는 거지, 감독 바꿔라 마라, 그럴 권리 없으십니다.
한상무	오케이. 그럼 심플하게 생각하면 되나. 감독 교체 안 하면 투자금 뺄게요. 그렇게 정리할까요?

승원, 대답 못하고.

| 한상무 | (차갑게) 대답이 바로 안 나오죠? 고민 해봐요. 그런데 (시계 보며) 이다음, 시간 얼마 없는 거 아닌가? |

#19. 리조트 로비. 아침.
박감독이 유홍에게 접근해있고, 그 앞에 서는 제하.

유홍	왜 박감독님이 이다음 씨를 만나요!!!
제하	뭡니까.
박감독	투자자가 직접 나한테 연락했음 얘기 다 끝난 거 아닌가?
제하	…
박감독	여기 스탭들도 이감독처럼 뻣뻣하다. 내가

195

이 현장 오면 스탭들부터 싹 내 사람들로
갈아치워야지. 온 김에 다음 씨도 한번 꼭
만나고 싶은데.

말없이 박감독을 쳐다보는 제하. 무섭게 노려본다.

박감독   (쫄아서) 기회가 곧 있겠지. 그럼.

박감독 가고, 유홍 씩씩대며 노려보고. 제하, 돌아서는.

#20. 철민의 숙소 안. 아침.

씻고 나오는 철민. 그때 문을 쾅쾅 두드리는데, 조명감독이다.

조명감독   지감독님, 완전 파토 났는데 이거?
철민   갑자기 무슨 소리야?
조명감독   투자자가 박감독 끌고 들이닥쳤어요. 이감독
            짜르고 감독 바꿔 앉히려는 것 같은데?

뒤따라 들어오는 진미.

진미   어우, 빨리 준비 좀 해요. 큰일 났어.
철민   박감독이 왔다구요?
조명감독   그렇다니까. 무슨 촌극이야 이게.
철민   (겉옷 챙겨 입으며) 하…
조명감독   만약 감독 바뀌는 거면… 이 영화 진짜
            산으로 가는 거 아니야? 어우 난 그렇게 되면
            빠질래. 분위기도 영 뒤숭숭하고…
진미   그렇게 쏙 빠지는 게 어딨어요. 이제하

196

감독이라면 그렇게는 안 둘 거예요.

조명감독   지감독님은?

철민   (냉담하게, 짐 챙기는) 글쎄요.

#21. 리조트 로비. 아침.

고대표가 체크아웃하고 있고, 옆에서 민희가 놀란 눈으로
고대표에게.

민희   저… 대표님.

고대표   왜?

민희   벌써 기자가 온 것 같아요.

민희가 가리킨 곳에, 어슬렁거리는… 남자.
영화 스태프로 보이는 사람들을 무작정 찾아다니고 있다.
저돌적으로 다가가는 고대표, 희태의 어깨를 잡고 홱
돌려세우며,

희태   (당황) 어우, 대표님. 여긴 웬일이세요.

고대표   여긴 왜 어슬렁거려?

희태   취재하러 왔죠. 어? 혹시 어제 현장에
            대표님도 계셨어요? 그럼 여쭤보고 싶은 게
            있는데…!

고대표   기자 명함 계속 달고 다니고 싶으면 기사에서
            채서영 이름 빼.

희태   아이 참. 어떻게 빼요. 채서영도 조연이긴   197
            하지만 이 사태랑 밀접한 관련이 있을 텐데요.

고대표   못 빼겠어?

희태   (지지 않고) 네. 최선을 다해서 엮을 건데요.

고대표 희태가 들고 있던 카메라를 바닥에 내려치는.

희태	미쳤어요?!!!
고대표	(발로 치우며) 다 미쳤는데 나라고 안 미칠 수 있어?

고대표 희태를 지나치는, 멀리서 그 광경을 보고 있는 서영…!

#22. 서점 인근. 낮.

철수하는 스태프들의 모습. 장비를 올리고, 치우고, 감고, 분주히 정리하는 모습이 느리게 보이고. 그 가운데서 이 모습을 제하가 바라보고 있고.
그때 우두커니 서있는 제하의 옆으로 철민이 다가오는.

철민	박감독이 와서 인사하더라고요. 자기가 하게 될지도 모른다고.
제하	그럴 일은 없을 겁니다.
철민	안 한다고 했어요. 박감독한테는.
제하	…감사합니다.
철민	근데, 이감독이랑도 어려울 것 같아.
제하	…!
철민	이감독이 처음 날 찾아왔을 때, 이 영화 빨리 찍어야한다고… 그땐, 그게 왜 중요한가 싶었는데… 이런 이유였다면 거절했을 거예요.
제하	…
철민	영화 뒤에 사람 있어요. 난 이감독이 그걸 무시할 줄은 몰랐어요. 미안하지만 나는

198

못해요.

제하의 어깨를 가볍게 툭 치고 떠나는 철민.
그런 철민의 뒷모습을 복잡한 심경으로 처다보는 제하.

#23. 주차장. 낮.

서영이 은혜와 밴 쪽으로 걷는데 정우가 따라오고.

서영	(은혜 보고 눈치 주고)
은혜	천천히 오세요. (가고)
정우	이 영화 어떻게 되는 건지 모르겠다. 어떻게 할 거야?
서영	이 눈 다 녹으면 다시 와야지.
정우	…이런 상황에도 이제하 감독 믿는구나.
서영	글쎄. 그냥… 난 내 역할 할 거야. 감독도 이다음도 이 영화 포기 안 하면 나도 안 해.
정우	이다음 시한부라는데, 그렇게 아픈 사람을 데려와서 이 꼴을 만들었는데… 넌 어떻게…
서영	그렇게 아픈데도, 남은 시간이 얼마 없는데도 모든 걸 걸고 살아내려고 노력하는 그 연기를 보면… 알잖아. 네가 제일 가까이서 봤잖아.
정우	…
서영	넌 네가 하고 싶은 대로 해. 난… 내 마음은… 자꾸 그렇게 기운다.

199

서영, 밴으로 걸어가는. 정우… 생각이 많고.

Episode 10

#24. 서점 인근. 낮.

장비차, 탑차, 밴 등이 하나 둘 떠나고. 그 모습을 바라보고 있는 제하…

그의 옆으로 유홍, 준병, 교영, 다음이 다가오는.

제하	어, 다음 씨. 먼저 올라가요. 준병아… 잘 부탁할게.
준병	걱정하지 마. 형은?
제하	(준병 살피며) 금방 올라갈 거야. 다음 씨. 해결해야 될 일이 있어요. 병원에 먼저 가 있을래요?
다음	감독님은 언제 오는데요?
제하	오래 안 걸려요.
다음	…
교영	(눈치 보다 괜히 밝게) 다음이는 걱정하지 마세요. 제가 애 전문가거든요.
제하	감사합니다. 그리고 죄송해요.
유홍	감독님이 뭘 죄송해요.
제하	얼른 먼저 가.

제하, 뒤돌아 촬영장 쪽으로 가는데.
다음, 돌아가는 제하의 뒷모습을 먹먹하게 바라본다.
제하, 걸어가며, 단단하게 마음먹는 눈.

#25. 서점 앞. 낮.

눈 덮인 서점으로 걸어가는 제하.

200

#26. 서점 안. 낮.

서점에 널브러져 소주를 앞에 두고 있는 승원에게 다가가는 제하.

승원의 종이컵에 소주 채워주고.

승원	화났냐? 화 내. 새끼야.
제하	(말없이 승원을 보고)
승원	나는 쪽박이니 대박이니 사람 목숨 가지고 장사했고. 어린놈의 새끼 돈질하는 치사한 꼴 앞에서 한마디도 못 하고 기어 나왔는데.
제하	…
승원	차라리 화를 내라고!
제하	(소주병 들어 승원 종이컵에 따라주며) 내가 더한 놈인데 뭘.
승원	이다음 오디션 영상 들고 한상무 찾아간 날. 그때 그런 맘을 먹었어. 급 나누기 좋아하는 이 바닥 인간들한테 나도 이런 영화 제작할 줄 안다. 내 급을 보여주고 싶었지. 결국 밑바닥만 보이게 됐지만.
제하	왜 어제 얘기 안 했어. 나 자르라 그랬다며.
승원	(물끄러미 보고) 불쌍해서.
제하	(픽 웃음 새나가고)
승원	(얼굴 감싸 쥐고 쓸어내리고) 미치겠다 진짜. 너 짜르고 그 자리에 박감독 앉히고 내가 옆에 붙어서 딴 영화 못 만들게 감시 잘 하면서… 그냥, 그렇게 만들면 되는 건데.
제하	…
승원	왜 그러기가 싫냐.

201

Episode 10

제하	형도 봤으니까 아는 거지. 내가 너무 잘하잖아.
승원	(젓가락 찌르려는 모션) 이걸 확.
제하	(일어서는) 그만 마시고.

제하, 가방에서 유은애가 쓴 〈하얀 사랑〉 초고를 테이블에 올려놓는다.

승원	…뭔데.
제하	하얀 사랑.
승원	그건 나도 알고.
제하	진짜… 하얀 사랑.
승원	(무슨 말인가)
제하	…형이 알고 있는 〈하얀 사랑〉은 이두영 감독이 누군가의 작품을 훔쳐서 만든 영화야. 거기 적힌 이름이 원작자고.
승원	뭐라고? 뭔… 유은애? 유은애가 누구야.
제하	유은애. 내 어머니.

#27. 진여의 도예 작업실 안. 낮.

끓는 차를 찻잔에 천천히 따르고. 낡은 노트북으로 다음의 기사를 훑어보는.
[거장의 이름에 먹칠한 아들, 감독 이제하, 실제 시한부 캐스팅 논란]

202 천천히 스크롤이 내려가고… 노트북에서 손을 떼 천천히 차를 들이켜는 진여.

승원이 초고를 다 읽었다. 테이블에 올려놓고.

승원	하나만 묻자. 〈하얀 사랑〉뿐이야, 아님 더 있어?
제하	…농담 같은 사랑, 돌풍과 소강, 사랑의 무게, 오래된 안녕 전부 유은애. 어머니가 썼어.
승원	…!
제하	형한테 제안받고 오랜만에 본가에 갔어. 서재에서 이 초고를 찾았고. 어머니가 쓴 모든 영화에 출연했던, 김진여 선생님한테 확인도 받았어.
승원	(미치겠어서 일어나 빙빙 돌며) 하… 와… 미치겠네.
제하	…응. 나도 미치겠더라.
승원	하… 너 날더러 어쩌라고. 너 이게 무슨 의미인지 알어? 이두영 감독님은 거장이야. 영화인들이라면 다 존경하는 그런 감독이라고.
제하	알아, 세계적인 거장이 사실은 자신의 아내의 글을 훔쳤다고. 그 아들이 아버지의 민낯을 까발리는 일이지.
승원	…! 야. 너 이거 풀겠다고? 너 지금 이다음 시한부 이슈로도 엎어지게 생겼는데, 너 아예 사라지고 싶어?
제하	아니. 사라지고 싶지 않아. 그래서 형한테 보여주는 거야.
승원	너 이거 까면, 영화계에서 매장이야. 아니, 지금도 매장인데, 지하 끝까지 매장이라고.

203

Episode 10

너, 다시는 감독 못할 수도 있다고!

제하   제안을 하나 할게.

승원   ?

제하   이번엔 형이 날 이용해주라.

서로를 노려보는 제하와 승원의 모습.

#29. 한국대병원 로비 앞. 낮.

정효, 걱정 어린 얼굴로 초조하게 다음을 기다리고 있고,
준병의 차가 도착하는.
준병이 문을 열어주고, 다음이 내린다. 앞에 서있는 정효를
보고 울컥하는. 정효, 다음을 보며 따뜻한 미소를 짓는다.

#30. 오디션 장 바깥. 낮. (다음날)

오디션 대기 중인 재인.
집중하지 못하고 핸드폰으로 커뮤니티에 올라온 〈하얀
사랑〉 게시글을 스크롤 하다가,

**〈삶을 포기하고 영화 주인공 하기 VS 영화 주인공 포기하고 마저
살기〉**

제목을 타고 들어가면,

→ 살날이 얼마 안 남았는데 나 같아도 꿈 한번 이뤄보고
  죽고 싶을 듯

→ 그래도 민폐인 건 팩트지. 찍다가 죽으면 다 X 되는 거다

→ ㄹㅇ 그렇게 되면 관객들은 무슨 죄냐~ 티켓값에
  부조금도 포함이네.

날 선 댓글들에 손이 멈추고…

INS. **9부 26씬.**

재인   **좋겠다 야. 운도 좋네. 인생이 얼마나 신날까. 넌.**

핸드폰 전화목록에 교영을 검색하고… 전화 버튼을 누를까
말까 고민하는.
그대로 오디션장을 떠나 버린다.

#31. 정릉 집 앞 / 다음의 병실 안. 낮.
정릉 집을 물끄러미 바라보는 제하. 다음의 식사 알람이
울리자 멈춰서 보고는 끈다…
이때 진동이 오고. 다음의 문자다. 준병이 챙겨줬을 도시락
사진과 함께.
[겨울이라고 광어 타코가 방어 타코로 바뀌었어요. 감독님
오늘도 바빠요? 남겨 줄까요? 먹기 싫어서 그런 건 아니고!]
문자보고 픽, 웃고 답장하는 제하.
[곧 갈게요. 남기지 말고 다 먹어요.]
병실 안 다음, 제하의 답장에 마음이 놓이고. 씩씩하게 약을
먹는.
제하, 어딘가로 걸음을 옮긴다.

#32. 새마을금고 안. 낮.
대출 상담창구에 앉아 있는 제하. 창구 직원이 제하의
신분증과 정릉 집 등기부등본 보고 있고, 맞은편에 앉아
창구 한편에 붙은 대출 안내 팸플릿을 유심히 보는 제하.

205

제하   프리랜서인데, 대출이 될까요?
직원   네~ 확인해 보겠습니다. 보유하신 주택이
            있다면, 주택담보대출이 가능할 것 같습니다.

Episode 10

제하	혹시, 금액은 최대 얼마나 가능할까요?
직원	우선 추가 서류가 필요해서 안내해드릴게요.
	(쪽지 주고) 서류 지참하셔서 내방해 주시면
	더 자세히 도와 드리겠습니다~
제하	네… 감사합니다.

#33. 촬영감독 철민의 사무실 안. 낮.

철민, 감독으로 보이는 남자와 작업과 관련된 미팅 중으로
보이고.

감독	내심 〈하얀 사랑〉 딜레이될까봐
	노심초사했는데, 엎어져서 다행…(눈치
	보고)은 아니지. 많이 아쉽겠어요.
철민	(쓸쓸한 웃음) 뭐… 아쉽죠.
감독	근데 내가 듣기로… 다들 이제하만 죽어라
	욕하는데 그 신인도, 장난 아니라면서요?
철민	…예?
감독	처음부터 시한부 어필하며 감독 꼬신 쪽이
	배우라는 말…
철민	아니에요. 감독님은 그 자리에 없었잖아요.
	말 옮기지 마세요.
감독	(눈치 채고) 내가 말실수를…

이때, 철민의 핸드폰이 울린다. 이제하 감독의 전화. 철민…
받지 않는다.

206

#34. 한국대병원 다음의 병실 안. 낮.

미선이 병실 문을 열고 들어와 보는데 펼쳐진 풍경.

다음은 준병의 눈치를 보며 방어 타코를 한입 가득 넣고 억지 미소를 지어보이고,
옆에선 유홍이 의자 놓고 앉아 시크하게 노트북을 두들기고 있고, 이 모습을 캠코더로 촬영 중인 교영까지. 미선, 자연스레 가습기 물을 갈며 조용히 미소 짓는다.

미선	넌 뭘 그렇게 찍냐.
교영	촬영 잠깐 쉰다구 배우가 긴장을 놓고 있음 안 되거든! 다음아 맛이 어때.
다음	너어어무 맛있는데요?
교영	저거 완전 연긴데? (한입 먹어보는) 엑.
준병	어… 방어가 혈액순환에 좋대서… 제철이기도 하고…
교영	(괜히 오버하며) 아! 조감독님도 먹어보세요. 의견이 일대일이거든요.

교영이 가서 유홍의 입에 방어 타코 넣어주면,

유홍	(무표정으로 우적우적… 꿀떡!)
준병	어, 삼켰다.
유홍	괜찮은데.
준병	(좋지만 활짝 못 웃고) 진…짜요?
다음	(고마워 따뜻하게 웃다가) 조감독님!
유홍	네?
다음	스태프 분들… 다 뿔뿔이 흩어졌다면서요?
유홍	아… 네. 아직, 눈이 다 안 녹았대요.
다음	거짓말…
유홍	…다음 씨는 그런 거 걱정하지 마요.

207

다음	어떻게… 걱정을 안 해요…
유홍	걱정할 게 뭐가 있어요. 감독이 이제한데. 응?

걱정스럽지만, 억지로 옅게 웃는 다음.

#35. 고대표 사무실 안. 저녁.

고대표, 언짢은 듯 찡그린 채 박감독을 응시하고,
박감독, 앞에 놓인 뜨거운 커피를 얄밉게 후후 불고
후루룩거리며 마시는.

박감독	돌아가는 상황 다 알죠? 첨엔 부담스러웠는데 생각해보니까 〈하얀 사랑〉에 욕심이 생기더라고요.
고대표	(들어나 보자는 생각) 무슨 말을 하고 싶은 거예요?
박감독	거긴 내 사람들이 없으니까.
고대표	(어이없어, 실소) 내가 박감독 사람인가?
박감독	힘 좀 실어 주세요. 이제하가 계속 버티면, 서영 씨가 한다 안 한다 흔들어 주는 거죠. 그럼 생각보다 쉽게 해결될 것 같은데.
고대표	…정말 그렇게 하면 이제하 밀어낼 수 있어요?

#36. 한국대병원 복도. 안. 저녁.

제하, 다음의 병실 쪽으로 다가가 노크를 하는데, 병실에서
툭 튀어나온 다음.
제하의 손을 당겨 잡고 앞장서 리드해 걷는다.

제하	다음 씨…! 어디가요?

208

다음	여긴 매니저님도 있고, 교영이도 있고. 좀 거시기 해서요.
제하	뭐가 거시기해요?

#37. 다음의 병실. 안.

교영, 유홍, 준병, 어색하게 앉아 있고.

교영	얼씨구절씨구. 좋겠다 좋겠어.
준병	좋을 때죠⋯
유홍	(노트북 보며) 이럴 땐 모른 척하는 거라 배웠습니다.
교영	아우. 우리도 술이나 한 잔 할까요? 다음이 야식도 포장해 올 겸.

#38. 병원 6층 복도. 저녁.

다음	이 시간엔 여기 아무도 없어요.
제하	네. 근데 여긴 왜?
다음	둘이 있고 싶어서요.

제하, 창밖을 보고, 다음, 그런 제하를 본다.

INS. **3부 41씬**

　　　제하의 시선. 바깥의 제하를 보며 신나게 손을 흔드는 다음.

INS. **3부 41씬**

　　　신나게 손을 흔드는 다음을 보며 미소 짓는 제하.

209

다음	신기해요. 이 유리창 하나 사이로 전혀 다른 삶을 살았던 우리가 지금은 이렇게 같은

곳을 보고 있잖아요.

제하   다음 씨가 이렇게 내 옆에서 웃어주면
　　　　어떻게 되는지 알아요?

다음   어떻게 되는데요?

제하   포기가 안 돼요. 세상 누구도 우리 얘기를
　　　　들어주지 않아도 포기할 수가 없어요.

눈이 마주친 두 사람. 가볍게 키스한다. 다음, 시선을
바깥으로 돌리며,

다음   오늘 많이 바빴어요?

제하   네. 만날 사람들이 좀 있어서요.

다음   내일도 바쁠 예정인가요?

제하   네. 다음 씨랑 영화 봐야 돼요.

다음, 제하의 말에 해맑게 웃어 보이는.

#39. 79대포 안. 밤.

유홍, 준병, 교영 테이블에 앉아 있다. 준병이 김치빠삭파전을
잘라 유홍 접시에 올려주고, 촉 좋은 교영이 이를 묘하게
쳐다보는.

유홍   (의식해서) 제가 알아서 먹을게요.

준병   아! 예! (당황해서 파전 욱여먹고) 오 맛있다.

교영   (점원에게) 저기요! 여기 요거 3개만 포장해
　　　　주세요!

교영이 말하고 몸 돌리다가 걸쳐 있던 핸드폰 툭 치자

순식간에 받아채는 준병.

준병   보셨어요? 제 반응 속도? (전완근 힘주며
           딸기 슬러시 막걸리를 저어 잔에 따르는)

교영   오… 역시 유디티.

유홍   (우쭐하는 준병이 귀여워 웃음이 터지고)

준병   (유홍이 웃어서 다행인) 어, 웃었다. 다행이다.

교영   (뭐하냐 싶은) 여기도 얼씨구네…

유홍   (막걸리 쳐다만 보다가 대뜸 원샷)

준병   어어! 천천히 드세요.

유홍   (한숨) 제가 할 수 있는 것도 하나 없는데,
           이거나 마시고 확 취해 버릴려구요.

교영   인터넷 보니 장난 아니던데… 이 영화 어떻게
           되는 거예요?

유홍   …

준병   (침울한 유홍 보고) 전 잘 모르지만 이거
           하나는 알겠어요. 묘하게… 묘하게 다시 될
           것만 같아요.

유홍   되게 애매하게 말씀하시네.

준병   원래 희망이란 게 애매~해요. 애매하게 될
           것 같은 느낌! 그 느낌을 믿고 가면 언젠가
           그쪽으로 가게 되더라고요.

유홍   …그랬음 좋겠네요.

교영   아까 계속 노트북만 보면서 뭐 쓰시던데,
           일하는 거 아니었어요?   211

유홍   아, 그거요… 그냥… 잠깐 짬이 나니까…
           (작게) 시…나리오…

준병   (크게) 예? 조감독님 시나리오를 쓰세요?

Episode 10

유홍	뭐, 그냥, 우리 영화 같이 하다보니까… 자꾸 뭐가… 쓰고 싶고 그러던데…
준병	…멋있어요!
교영	(둘만의 세계, 흥미 뚝 떨어져서) 어 포장 나왔다. 식기 전에 배달 가야 돼서 먼저 갑니다.

자리 피해준 교영, 준병과 유홍 어색하게 눈 마주치는…

#40. 종로 아트시네마 로비. 낮.

다음 날. 로비에 들어오는 제하와 다음, 명훈에게 인사하고.
제하, 멈춰서 다음을 바라보고.

제하	부탁이 있어요.

제하의 말에 의아한 표정의 다음,
명훈을 돌아보는데… 고갤 끄덕여주는.

#41. 종로 아트시네마. 상영관 안. 낮.

영화가 시작되고… 스크린에 타이틀, 〈오래된 안녕〉이 뜨는.

CUT TO.
상영관에 불이 켜지고, 어느새 엔딩 크레딧이 올라가고 있는…

212   각본 이두영이라 적힌 텍스트가 올라가고,
다음, 눈가에 맺힌 눈물을 닦으며 주위를 둘러보는데…
멀찍이 떨어진 곳에서 홀로 영화를 보고 있는 진여를
발견한다.

다음   어? 김진여 선생님이 계세요.

다음, 진여를 보는데 진여가 흐느끼고 있다…!
그런 진여를 돌아보지 않고 계속해서 올라가는 크레딧을
보고 있는 제하.

#42. 제하의 회상. 과거. 진여의 도예 작업실 안. 낮.
7부 21씬 이어서.

진여   지금부터 내가 하는 말. 믿어줄 수 있겠어요?
제하   (분위기가 심상치 않음을 느끼고 진지하게)
          말씀… 해주시죠.
진여   〈하얀 사랑〉은… 은애가 나에게 남긴 마지막
          부탁이었어요.

#43. 현재. 아트시네마 상영관. 안. 낮.
제하와 다음. 그리고 진여가 바라보는 텅 빈 스크린에 과거
플래시백이 영사되는.
제하와 다음, 진여와 객석 열 사이에, 젊은 두영과 은애가
나타난다.

#44. 과거. 아트시네마 상영관. 안. 낮.
1996년. 90년대 분위기의 상영관 안, 관객들로 꽉 들어선
상영관 중간 자리에 두영과 앉아 있는 은애. 두영이 은애의
손을 꼬옥 잡아주고, 기대에 찬 눈빛으로 영화를 보는.
검은 화면에 영화의 제목이 뜬다. **〈오래된 안녕〉**

213

Episode 10

CUT TO.

상영관에 불이 켜지고, 엔딩 크레딧이 올라가는데…

크레딧에 각본 이두영이라 적혀있다.

두영이 잡고 있던 은애의 손을 두드리고. 은애, 잠시 넋이
빠졌다가… 이내 미소 짓는. 하지만 어딘가 쓸쓸한…

#45. 과거. 정릉 집. 안. 낮.

어린 제하가 뛰어 놀고, 서재에서 책을 쌓아두고 글을 쓰고
있는 은애.

벨이 울리고, 문을 열면 꽃다발을 한 아름 안고 서 있는 젊은
진여. 차를 마시며

은애의 글을 읽어보는 진여. 재밌다고 깔깔 웃다가 휴지로
코를 틀어막고 엉엉 우는.

진여	어? 여기서 끊기면 어떡해. 이 뒤는?
은애	(웃으며) 재밌어?
진여	너무 재밌어. 결말은? 결말은 어떻게 되는 거야?
은애	나도 모르지. 차 마시고 있어. 나 빨래 좀 널고 올게.
진여	(붙잡는) 언제까지 그럴 거야?
은애	응?
진여	넌 글을 써야 돼. 이두영의 아내로만 살기엔 네 재능이 너무 아깝잖아.

214

대답 없이 웃는 은애.

#46. 과거. 정릉 집. 안. 낮.

서재에서 〈하얀 사랑〉의 초고를 읽고 있는 두영. 표정에
흥분이 서리고.
거실에서 어린 제하와 놀아주던 은애가 문 틈새로 두영의
표정을 살핀다.

#47. 과거. 정릉 집. 안. 낮.

방에서 제하를 재우고 거실로 나온 은애. 두영이 앉아 있다.

두영	(초고를 쥐고 있다) 반응이 아주 뜨거워. 이건 정말이지… 내 영화 인생에서 최고의 작품이 될 거야.
은애	그래요. 나도 감독은 당신이 해줬으면 좋겠어요.
두영	…근데 말이야. 마지막으로 한 번만 더 나에게 줄 수 있어? 이 시나리오. 대중들에겐 유은애라는 이름은 낯설어. 내 아내라는 게 밝혀지면 지금껏 만들어놓은 영화도 의심받을까 두렵고…
은애	의심이 아니라… 사실… 이잖아요.
두영	(표정이 묘하게 굳고) 내 성공이 우리 가족의 성공이잖아. 응?

#48. 과거. 거리. 밖. 낮.

추운 겨울의 거리. 집으로 돌아오던 길. 은애는 가만 걷다가 215
갑자기 주저앉아 울어버린다.
주저앉는 바람에 가방이 바닥에 나뒹굴고, 바람이 부는데
병원 진단서와 약 봉투가 보인다.

Episode 10

현관 앞에 놓인 신문, 대서특필된 헤드라인이 보이고.

〈충격! 이두영 감독, 페르소나 김진여와의 치정과 밀회〉

다급하게 현관문을 두드리고 있는 진여.

> 진여 　 은애야! 나야. 문 좀 열어봐. 은애야! 너
> 　　　　 알잖아. 사실 아닌 거!

병약한 모습의 은애가 조심스럽게 현관을 열면, 진여가
눈물을 글썽이며 서있다.

> 진여 　 내가 이두영한테 네 작품 다 돌려놓으라고
> 　　　　 했더니… 이런 더러운 소문을… (훌쩍인다)

은애가 진여를 안아준다.

> 은애 　 바보야. 내가 그런 걸 믿겠어.

그때 은애가 거듭 기침하며 호흡이 가파져 오고…

#50. 과거. 정릉 집 거실. 낮.

병약한 은애, 의자에 몸을 기댄 채 옆에 손을 잡고 있는
진여에게 〈하얀 사랑〉 초고를 건네준다.

216

> 진여 　 나… 안 해. 나 이거 못 해.
> 은애 　 …해줘. 진여야.
> 진여 　 이두영 그 사람은 너 이 지경인데 영화에
> 　　　　 미쳐서!

은애	그 사람은 중요하지 않아. 네가
	완성해준다면, 난 더 바랄게 없어.
진여	(울음 터지고) 다 밝힐 거야.
은애	(고개 젓고) 너만… 너만 거짓말쟁이 취급
	받을 거야.
진여	상관없어!
은애	(진여의 손을 잡으며) 〈하얀 사랑〉은…
	내 모든 게 들어간… 아마도… 나의… 마지막
	작품일 거야.
진여	(눈물 흘린다)
은애	언제나 내 주인공이었던 진여… 네가 꼭
	해줬으면 좋겠어. 네가 연기하는 규원이가
	보고 싶어.
진여	은애야…
은애	그리고… 나중에, 때가 되면… 우리 제하한테
	이 시나리오를 보여줄래? 우리 제하라면
	엄마가 어떤 마음으로 이 글을 썼는지
	알아봐 줄 거야.

진여, 펑펑 눈물을 쏟고, 은애도 눈물을 흘리는.

#51. 현재. 진여의 도예 작업실 안. 낮.
얘기를 전해들은 다음, 안쓰러운 표정으로 제하를 바라본다.
다음과 제하를 한참 동안 바라보는 진여.

217

진여	은애의 아들이 이 영화를 다시 만든다고
	했을 때, 어쩌면 은애가 말한 때가 지금이겠다
	싶었어요.

Episode 10

진여, 다음의 손을 살포시 잡고.

진여	몸은 괜찮아요?
다음	(끄덕이고) 하나도 안 아파요. 선생님.
진여	(머리칼을 따뜻하게 넘겨주는) 이름이 이다음?
다음	네.
진여	어떻게 이렇게 빛나는 이름을 가졌을까.
다음	엄마가 지어주셨어요.
진여	(예쁘고, 아프게 보며, 손을 꼭 잡아주는)

그런 다음과 진여를 보는 제하의 모습.

#52. 한국대병원 정문. 낮.

병원 주차장에서 나오는 제하와 다음.
두 사람이 처음 인사를 나눈 야외 정원이 보인다.

다음	(정원 벤치로 가며) 여기 기억나요? 우리의 강렬했던 만남.
제하	(벤치를 본다)

INS. 1부 62씬

다음	**자문을 맡을 시한부 이다음이라고 합니다.**

제하	(웃음 나고) 그럼요.
다음	그때 감독님 표정. 진짜 예술이었는데.
제하	어떤 표정?
다음	이 여자는 도대체 뭘까. 또라인가.

218

제하	아닌데, 그냥… 그땐, (웃고) 네. 맞아요.

다음, 벤치로 가 그때처럼 손으로 툭툭 앉으라고 한다. 제하,
옆에 앉는다.

제하	다음 씨랑 같이 김진여 선생님 뵙고 오니까 그런 생각이 들어요.
다음	?
제하	어머니가 쓴 대본을 훔친 아버지가 만든 영화. 그걸 이어받은 나에게, 다음 씨가 나타난 건 우연이 아닐 거라는 생각.
다음	…
제하	〈청소〉가 흥행하고 그 뒤로 5년 동안 나는 내 재능에 대해 의심했어요. 정말 내 능력일까, 아버지의 후광일까.
다음	(조용히 듣는다)
제하	지금이 얼마나 소중한지 사람들은 모르고 산다고, 바보들이라고 그랬었죠? 내가 그 바보였어요.
다음	…
제하	아버지의 명성이 전부 거짓이었다는 걸 알고 나서는, 그 가짜에 얽매여 시간을 낭비했구나, 나는 그것밖에 안 되는 놈이구나. 스스로가 싫었어요.
다음	감독님.
제하	하지만… 자신의 이름을 빼앗기면서도 마지막까지 영화를 쓴 엄마를 알게 되고… 그리고… 내 앞에서… 매 순간 간절히

219

연기하는 다음 씨를 보면서, 이제 정신이
선명해졌어요. 영화를 만들고 있는 지금이
얼마나 소중한지.

다음, 일어난다.

다음	내가 감독님한테 이 영화 같이 하고 싶다고 간절하게 매달렸던 거. 그럴 용기가 생겼던 거. 그렇게 영화 속에 들어갔던 거. 감독님이 그 순간에 어머니의 진실을 알게 된 거, 그래서 〈하얀 사랑〉을 아버지와 다르게 만들고 싶다고 결심한 거, 우연이라고 생각 안 해요.
제하	…
다음	우린 그 순간에 다르게 살아보고 싶었고. 그렇게 서로를 선택한 거예요.
제하	(일어나며) 그때, 나한테 나타나줘서 고마워요.
다음	그때, 나한테 넘어와줘서 고마워요.
제하	난 이제 내 시간을 나답게 쓸 거예요. 누군가의 아들도 안 할 거구요. 나를 빛내기 위해 소중한 사람의 꿈을 이용하지도 않을 거예요.
다음	(웃으며) 그건 바보들이나 하는 짓이죠.
제하	(웃는다)

220

신뢰의 눈빛으로 서로를 보는 두 사람.

제하와 다음, 제하의 차 앞에 다다르고.
다음, 제하의 품에 파고든다.
잠시 꼭 안고 있는 둘, 제하, 몸 떼고.

> 제하   금방 올 거예요.
>
> 다음   (끄덕이고)
>
> 제하   갈게요. 오직 나만이 할 수 있는 일이 좀
> 쌓였거든요.
>
> 다음   감독님.
>
> 제하   (보면)
>
> 다음   너무 혼자 감당하려고 하지 마요.
>
> 제하   나 혼자 아닌데. 이 모든 걸 다 버틸 수 있는
> 힘을 주는 사람이 옆에 있잖아요.

다음, 언제까지 옆에 있어줄 수 있을까, 그런 생각에 마음이
아프고.
제하 웃으며 차에 타서 출발하고. 그런 제하의 차가 가는
모습을 걱정스레 보는 다음.
다음, 잠시 고민하다, 서영에게 문자 보낸다.
[선배님. 혹시 식사 하셨나요? 배고픈데 밥 먹을 사람이 없어요.]
서영의 답장이 온다. **[내가 다음 씨 있는 곳으로 갈게요. 같이 밥
먹어요.]**

#54. 촬영감독 철민의 사무실. 낮.   221

철민이 문을 열면, 제하가 서 있고.

> 제하   커피 한 잔만 주세요.

철민	(한숨)…들어와요.

철민 앉고, 제하 따라 앉는.

제하	저 때문에 많이 힘드시죠.
철민	누가 누굴 걱정해…
제하	다른 사람들이 사람 목숨 값으로 영화 장사한다. 이제하 영화에 미쳤다. 어떤 욕을 해도 다 괜찮거든요.
철민	멘탈 좋네요. 듣던 중… 다행이네.
제하	근데 감독님이 저한테 실망하시고 감독님을 차마 잡지 못했던 건 안 괜찮습니다. 너무 마음에 걸립니다. 밥도 잘 안 넘어가요.
철민	…
제하	세상 사람들 비난 같은 거 다 감수할 자신은 있는데, 우리 스태프들의 실망한 얼굴… 그건 정말 못 참겠습니다. 무서웠어요.
철민	…이감독…
제하	처음엔 완성만 하면 과정이야 어떻든 상관없다고 생각했어요. 그런데… 다음 씨를 보면서… 그리고 우리 영화 같이 만드는 사람들을 보면서… 마음이 바뀌더라구요.
철민	…
제하	영화라는 게… 결과도 중요하지만, 과정도 중요하구나. 누군가에겐 손익분기점이니 흥행이니 숫자만 남을 수 있지만… 누군가에겐 영화를 만드는 과정이 인생 그 자체일 수도 있구나.

222

철민	이감독.
제하	저는 이다음 배우뿐만 아니라, 저도
	감독님도 다른 스태프들도 우리 영화에
	인생의 정말 소중한 시간을 쓰고 있다고
	생각합니다. 제게 그 소중한 모두의
	시간들을, 끝까지 책임질 수 있는 기회를…
	한 번만 더 주실 순 없을까요?

철민의 고민 깊은 표정에서.

#55. 한국대병원 안. 휴게 공간. 저녁.

말없이 나란히 앉아 있는 다음과 서영. 다음, 캠코더를 꺼내
조작하며 파일을 찾는다.
예전 서영과 찍었던 동영상을 플레이한다. 다음이 슬쩍
보여주면 서영이 같이 보는.

다음	선배님은 이때 좀 무서웠던 거 알아요?
서영	내가?
다음	(끄덕이고) 완전 배우 포스.
서영	(풉 웃고) 난 그때 다음 씨가 자꾸 생각나서,
	번호라도 따둘걸. 샌드위치 값을 어떻게 갚지
	했었는데.
다음	이미 갚은 지 오래예요! (호밀빵 샌드위치
	서영에게 건네고)
서영	(피식) 그냥 밥 먹자고 부른 거 아니지?
다음	…(끄덕)
서영	말해 봐요.
다음	저는 선배님이 질투 나요.

223

서영	?
다음	저, 연기가 너무 좋아요. 오랜 시간 꿈꿔왔어요. 근데, 내가 제일 사랑하는 배우인 선배를 이 영화에서 만난 거예요. 그걸로 됐다, 소원 풀었다 싶었는데 아니에요. 계속 욕심이 나더라구요.
서영	(옅게 웃고) 그랬어?
다음	저는 선배님이 미치도록 부러워요. 선배님한테는 다음 또 그 다음 영화가 있잖아요.
서영	나는… 다음 씨 처음 봤을 때부터 질투했어. 왜 이제하가 이다음을 규원이로 선택했는지 납득하는데 (웃으며) 3초 걸리더라.
다음	(좋아서, 울먹이고) …
서영	우리 계속 서로 질투해. (눈물이 핑 돌지만 참고) 규원이와 정화는 그래야 돼. 나한테 다음 씨는 연기로 제대로 붙고 싶은 그런 욕심이 나는 배우야.
다음	…그럼 저, 끝까지 선배님하고 제대로 붙어볼래요.
서영	좀 무서운데. 그럴람 이거 다 먹어야 돼! (한입 크게 먹는)

나란히 샌드위치를 먹으며 웃는 두 사람.

224

#56. 광고 촬영장. 야외. 저녁.

광고 촬영이 진행되고 있는 야외 촬영장.
밤이 무색하게 수십 개의 조명이 모델을 향해있고.

스타렉스 운전석에 앉아 핸드폰으로 딸(12개월) 영상을
보고 있는 조명감독. 무전으로,

> 조명감독   이따 밥차래, 도시락이래?
> 무전(E)   도시락이랍니다.
> 조명감독   밥다운 밥 좀 먹고 싶다…
> 제하   (창문 쪽에서) 삼척이 밥맛이 좋긴 했어요,
>   그죠?
> 조명감독   어우 깜짝이야.
> 제하   이쁘네요. 촬영 재개하면 한번 데려오시죠.
>   바다도 보여줄 겸.
> 조명감독   (곤란한 얼굴로) 이감독…

#57. 미술창고 인근. 저녁.

소품들을 품에 한가득 들고 위태롭게 걸어가는 미술감독이
보이고.
아슬아슬해 보이는 소품이 떨어지면 그걸 받는 제하.

> 미술감독   감독님…!
> 제하   할 얘기가 있어서요.

#58. 제작사 사옥. 승원의 사무실.

생각에 잠겨있는 승원.

INS. **10부 28씬.**   225

> 제하   **이번엔 형이 날 이용해주라.**

> 승원   (머리 움켜쥐며) 아이씨. 진짜, 짜증나게.

승원, 책장에 놓여있는 '이제하' 이름이 적힌 〈청소〉 수상
트로피들을 본다.
먼지를 손가락으로 닦아가며,

> 승원   인생, 어차피 각개전투지. 너는 너대로,
>   나는… 나대로.

승원, 핸드폰을 꺼내 희태에게 전화한다.

> 승원   노기자님. 저번엔 내가 실수를 좀 했네. 그거
>   다 만회할 만한 제대로 된 소스가 있는데,
>   만나줄래요?

#59. 한국대병원 다음의 병실 앞 / 안. 밤.

피곤한 표정의 제하, 다음의 병실 문을 열려는데, 안에서
들려오는 비명소리.
놀라서 문을 여는데, 다음이 고통에 몸부림치고 있다.
비명을 내지르며 몸을 비트는데, 정효, 서둘러 주사 놓고.
익숙한 듯 다음의 손을 꼭 붙잡고 눈물 고인 채 옆을 지키는
교영, 옆에서 못 보겠다는 듯 꾹 참고 있는 미선까지…
제하, 놀란 기색, 조심스럽게 다가간다. 가까이 가 다음과
눈이 마주치는.
눈물범벅이 된 채 헐떡이던 다음… 제하의 눈을 피한다.
제하, 눈에 눈물이 고인다.

226

> 다음   나가… 나가라고 해!

정효, 제하를 데리고 나가는.

#60. 한국대병원 옥상. 밤.

야경을 내다보던 정효, 옆에 있던 제하에게.

정효	처음 본 거죠?
제하	네…
정효	놀랐어요?
제하	…네. 놀랐습니다.
정효	도망가요.
제하	싫습니다.
정효	그럼?
제하	다음 씨 옆에 있고 싶습니다.
정효	언제까지.
제하	…
정효	(답답함에 바깥 보며) 사랑하는 사람 보내봤어요?
제하	…네. 어릴 때였어요. 어머니요.
정효	지금은 어떤가요. 괜찮던가요?
제하	…안 괜찮습니다. 사는 대로 살다가도 문득 그 기억들 속으로 빨려 들어가요. 어머니를 그리워하던 어린 저로 돌아갑니다.
정효	사랑하는 사람을 떠나보낸다는 건 그런 거예요. 시간이 아무리 흘러도 잊히지가 않죠.
제하	교수님께서 이야기하셨죠. 죽을 날이 정해진 사람을 사랑하는 건… 남겨진 사람의 평생을 따라다닌다고.
정효	…
제하	그래서, 전 끝까지 옆에 있을 겁니다.
정효	이감독님…

227

Episode 10

제하	어차피 평생을 따라다니는 거라면… 잊을 수 없는 거라면… 그 사람이 이다음 씨였으면 좋겠습니다.
정효	…그럼 부탁합니다.
제하	!?
정효	다음이, 우리 다음이 영화 끝까지 찍을 수 있게… 도와주세요.
제하	…
정효	부탁합니다.
제하	…

정효의 눈에 눈물이 고이고, 제하 역시… 울컥하는.

#61. 정릉 제하의 본가 안. 밤.

장 본 봉투를 한가득 들고 현관으로 들어선 제하.
- 창문을 열어 환기 시키는.
- 집 안 구석구석을 청소기로 청소하는.
- 화장실에서 걸레를 빨고.
- 집 안 곳곳을 걸레로 닦다가 아버지의 서재 앞에서 망설이는… 문을 열고 들어가 불을 켜서 청소하는…

거실 소파에 홀로 앉아 공허한 표정으로 주위를 둘러보는 제하…
깨끗한 집 한가운데 덜렁 혼자 앉아 있는 모습이 외로워 보인다.

#62. 병원 6층 복도. 밤. / 정릉 제하의 본가 안. 밤.

멍하게 병원 통창으로 바깥을 보고 있는 다음. 제하에게 전화가 걸려오고, 받는.

다음   …네. 집에 갔어요?
제하   네. 다음 씨가 나 보기 싫다구 했다면서요?
다음   …네. …보여주기 싫었어요.
제하   내일, 오후에 데리러 갈게요.
다음   어디… 가요?
제하   (집을 둘러보며) 다음 씨한테는 병원 같은 곳.
다음   진짜요?
제하   교수님께는 허락받았어요.

전화 끊고, 좋아서 배시시 웃는 다음. 바깥 풍경을 하나하나
눈에 담는.

#63. 한국대병원 다음의 병실 안. 낮.
정효, 창가에 기대 서 있고, 다음 싱글벙글 짐을 싸는.
제하가 다음의 짐을 들어주는.

다음   아빠. 나 진짜 간다.
정효   가라. 가.
다음   (정효 앞으로 가 옷깃을 펴주고) 교수님
            가운이 더러우면 되겠어? 좀 빨아 입어.
정효   (뭉클, 맘 아프고) 다음아. 아빠가… 많이
            늦었어. 아빠 네가 나오는 영화 보고 싶다.
            그러니까, 다 해. 하고 싶은 거 다 해.   229
다음   …울 아빠… 왜 이렇게 말랐지…

다음, 정효의 모습이 작아 보여 울음이 울컥 올라온다.

Episode 10

그런 다음이 안쓰러워 눈물이 고이는 정효.

정효	…애 밥때 놓치면 안 되는 거 알죠?
제하	네 잘 압니다.
정효	애가 밥을 좀 많이 먹어요. 이해해주고.
제하	네. 잘 챙기겠습니다.
다음	치… 간다.

정효, 괜히 눈물이 차올라 창밖으로 돌아서고,
다음 정효의 뒷모습을 보는… 뒤에서 정효를 꼬옥 안아주는
다음.
그 모습을 지켜보는 제하.

#64. 병원 주차장. 제하의 차 안. 낮.

대성통곡을 하는 다음.

제하	(안절부절, 휴지 주고) 괜찮아요?
다음	(흐느끼며) 나는… 나는요… 정말 못돼 처먹었어요…
제하	…다음 씨…
다음	아빠 뒷모습이… 너무 작아요… 왜 그렇게 작아 보여. 미치겠어…
제하	(가만 손잡아 주는)
다음	(큰숨을 삼키고 후, 내뱉고) 하. 시원하다.
제하	(얼굴 살피고) 지금이라도 돌아갈래요?
다음	(젖은 속눈썹 깜빡이며) 아뇨.
제하	그렇게 울면서?
다음	(눈물 닦고) 난 내 길을 가야죠.

230

제하	(짠하고) 아이고…
다음	또 숙박업소처럼 이 방 쓰세요 하고 갈 거예요?
제하	…네.
다음	네?
제하	…네?
다음	싫어요. 나랑 같이 있어요!
제하	에이… 어떻게 같이 있어요.
다음	어어? 난 그 목적으로 나온 건데!
제하	목적이 있었어요? 다음 씨 무서운 사람이네.

제하의 장난에 웃음 짓고. 환하게 웃는 둘의 모습.

#65. 정릉 제하의 본가 밖. 낮.

다음, 제하를 따라 대문을 들어선다.
현관 앞에서 제하가 멈춰서고.

제하	먼저 들어가요.

제하, 비켜주는. 다음, 어리둥절해 현관문을 연다.

#66. 정릉 제하의 본가 안. 낮.

문을 열면, 펼쳐진 풍경.
현관 신발장은 각종 신발로 발 디딜 틈이 없고.
유홍, 철민, 진미, 조명감독, 미술감독 스태프들이 거실에서
모여 있다.   231
앞치마를 맨 준병이 주방에서 쟁반을 들고 나오며 다음을
발견하고…!
다들 돌아보고 포근하게 인사하는. 제하, 다음에게 선물을

선사하는 느낌으로 미소 짓고.

준병   다음이 왔어?

진미   아니. 그새 얼굴이 더 하얘졌어. 역시 다음 씬
         내 터치가 들어가야 된다니까? 가만 있어봐,
         뭐 좀 바르자.

조명감독 조명이 도와줘야 되는 거 알죠?

미술감독 (화분 옮기며, 멀찍이서 각 보고) 요새도 이런
         집이 있네. 이 집 너무 가슴이 뛴다~ 와, 이게
         언제 적 거야!

유홍   대박이죠? 미감님 사진 찍어요. 레퍼런스로 써!

철민   다음 씨… (웃으며) 잘 왔어요. 어서 와요.

다음 그 자리에 서서… 움직이지 못한 채… 가만 그들을 본다.
다음, 너무 벅차오르고. 왈칵 눈물이 쏟아져 그대로 밖으로
나가버린다.
사람들 전부 알겠다는 듯, 안타깝게 바라보고, 제하, 따라
나간다.

#67. 정릉 제하의 본가 마당. 밖. 낮.

다음, 마당 한복판에 서서 얼굴을 감싸 쥐고 꺽꺽 우는. 제하,
따라 나와 울고 있는 다음을 보고 어쩔 줄 몰라 하고 있는데

다음   (오열하고)

제하   다음 씨…

다음   나 어떡해요…! 나… 어떡해… 너무 살고
         싶어…!

제하   …

그간 본 적 없던 울음이다. 다음이 얼마나 걱정했을지, 그래서
지금이 얼마나 행복할지 알 것만 같은 제하. 다음 역시 이
시간이 다시 돌아오지 않을 것 같아서 울음이 터진다.
제하는 살고 싶다는 다음이 너무 아프다. 눈물이 차오르는.
그런 두 사람의 모습에서… **엔딩.**

233

Episode 11

흩어졌던 사람들이 다시 모여 제하와 다음을 따뜻하게 맞이한다.

이제는 세상을 설득할 차례다.

#1. 세종문화회관 앞. 계단. 밤.

시상식이 끝나고 적막한 세종문화회관 앞 계단.
턱시도를 입은 채 햄버거를 들고 오는 제하와, 시상식 직후
스타일링 그대로 계단에 앉아 힐을 벗고 운동화로 갈아
신고 있는 다음. 그 옆엔 영화제 트로피가 놓여있고. 제하가
다음의 옆에 햄버거를 내려놓으며 앉는다.

> 다음   아우 불편해. 발목 나가는 줄 알았어요.
>
> 제하   (햄버거 포장 벗겨서 다음에게 주고)
>   배고팠죠.
>
> 다음   감독님도 풀어요.
>
> 제하   (넥타이 풀고, 햄버거 한입 가득 먹는)
>
> 다음   (허겁지겁 한입 크게 먹는) 와 되게 맛있다.
>
> 제하   (콜라 마시면)
>
> 다음   나두 나두.
>
> 제하   (콜라 먹여주고) 이제 살 것 같네.
>
> 다음   거국적으로 하이파이브 한번 할까요?

다음, 제하랑 하이파이브 하고,

> 제하   축하해요. 상 탄 거.
>
> 다음   축하해요. 상 탄 배우랑 같이 햄버거 먹는 거.
>
> 제하   (웃고) 우리 이제 뭐할까요. 아, 저번에 내가
>   시나리오 준 거 읽어는 봤어요? 왜 얘기가
>   없어…
>
> 다음   영화는 됐고, 데이트나 하죠?

235

Episode 11

#2. 번화가 거리. 밤.

아름다운 밤거리를 턱시도와 드레스를 입은 채로 손 잡고
자유롭게 뛰어다니는 제하와 다음의 모습.
숨차게, 자유롭게, 행복해 보이는.

– 타이틀, 〈우리영화〉 –

#3. 정릉 제하의 본가 안. 낮.

다음(E)   **너무 살고 싶어요…! 너무 살고 싶어요…**

다음의 말과 울음이 들리고… 얼어붙은 사람들.
준병, 눈시울이 붉어져 주방 쪽으로 가고. 유홍, 보다
따라가고. 진미, 미술감독 눈물이 터지는. 조명감독, 철민,
묵묵히 듣고 있는.

#4. 정릉 제하의 본가 마당. 밖. 낮.

울컥 올라오는 마음, 눈물을 닦을 새도 없이 제하가 다음을
안는다.
다음, 안겨서 울고. 떨어져 제하의 눈물을 손으로 닦아주다…

다음	미안해요.
제하	…?
다음	내가 이러면 감독님이 속상할 거 아는데…
제하	그게 왜 미안해요.
다음	…
제하	뭐가 미안한데요. 내가 속상할까 봐?
다음	…
제하	무서워하고, 아파하고, 살고 싶어 하는 게

236

	미안한 일이에요?
다음	…
제하	나한테도 다른 사람들한테도 미안해하지 않았으면 좋겠어요.
다음	(끄덕이고) …
제하	오히려 내가 미안해요. 다음 씨한테 해줄 수 있는 게 고작 이 영화 하나 지키는 거밖에 없어서.
다음	고작 아니에요. 나는 저 안에 사람들하고, 감독님하고 같이 영화 만들고 있잖아요. 그걸 감독님이 만들어줬잖아요. 그게 좋아서… 우는 거예요. 너무 행복해서. 내가 살아 있다는 게 느껴져서.

다음, 제하를 향해 웃어준다. 제하, 다음을 향해 웃어준다.

#5. 정릉 제하의 본가 안. 낮.

다음, 제하와 함께 거실로 들어오면, 사람들 따뜻하게
다음을 맞이하는.

철민	다음 씨 놀래켜 주려고 말도 안 하고 모인 건데, 많이 놀랐어요?
다음	아뇨. 너무 좋아서. 그래서 울었어요.
제하	이렇게 다 모여 주셔서 감사합니다.
진미	우리 다 한 팀인데 당연히 모여야죠.
준병	(애써 밝게) 그럼, 이제 다시 촬영 시작하나요?
진미	아직 와야 할 사람들이 더 있긴 한데…

237

유홍	일단, 서영 배우랑 정우 배우 소속사에선 스케줄 못 빼준다고…
철민	박감독이 스탭들 모은단 소문이 있던데… (제하 보며) 부대표는 뭐하고 있어요?
유홍	단톡방도 안 읽으시고 전화도 안 받으시던데…
제하	…

#6. 영진그룹 회의실. 낮.

이야기 중인 한상무와 승원.

한상무	난 영화 볼 때 누가 나오냐, 재밌냐. 두 개가 제일 중요하던데. 감독이 뭐가 중요해.
승원	(참는 듯한) 보여지는 건 그건데, 만드는 과정이란 게 또 중요하거든요. 영화는.
한상무	그러세요? 그럼 그 중요한 과정, 빨리 정리하시죠. 내가 다 애가 타. 이다음 죽을까 봐.
승원	…
한상무	이전에 부대표랑 박감독이랑 같이 만든 영화, 그거 잘 빠졌던데. 한 번 같이 해봤으니 이어서 하기 편하겠네.
승원	(덤덤히) 네. 손발은 잘 맞아요.
한상무	이제하 감독은… 생각할수록 어이가 없어. 영화를 만들랬더니 아주…
승원	(숨 가다듬고) 이제 정말 결정해야 될 것 같습니다.

238

승원, 묘하게 굳어지는 얼굴.

#7. 정우의 집 거실. 낮.

정우, 〈하얀 사랑〉 시나리오를 보면서 대사를 읊조리고 있다.
그때 초인종이 울리고, 연이어 도어락 비밀번호를 누르는
소리가 들린다. 서영임을 직감한 정우가 현관 쪽을 뒤돌아
바라보면, 서영이 들어온다. 손에 컵라면 두 개가 든 봉투가
보인다. 서영, 거실 테이블 위에 놓인 〈하얀 사랑〉 대본에
눈길이 가는.

#8. 정우의 집 안. 주방. 낮.

뚜껑 펼쳐진 컵라면이 덩그러니 테이블 위에 있고, 마주
보고 어색하게 앉아 있는 서영과 정우. 물 끓는 소리가 나자,
서영이 일어나 주전자를 가져와 라면에 붓고.
지켜보던 정우가,

> 정우　　　 (잠깐 생각하고) 내가 보고 싶어서 온 건
> 　　　　　 아닐 거고. 영화 때문에?
> 서영　　　 네가 하고 싶은 대로 하라고 한 거 취소할게.
> 　　　　　 이 영화 우리 끝까지 같이 하자.
> 정우　　　 (옅은 한숨) 이다음한테는 미안하지만
> 　　　　　 나한테도 중요한 문제야. 냉정하게
> 　　　　　 생각하면…
> 서영　　　 너 안 냉정하잖아. 그렇게 못 하고 있잖아.

고개 돌려 시선, 거실 쪽 대본 보는 서영.

239

> 서영　　　 (정우 보고) 우리까지 빠지면 완성 안 된다는
> 　　　　　 거 알잖아. 이다음, 이제하, 두 사람 때문만이
> 　　　　　 아니야. 나 너한테 배우로서 얘기하는 거야.

Episode 11

정우	너 알잖아. 나 솔직히 부족해. 버거웠어.
서영	안 부족해. 잘해왔고 앞으로도 잘할 거야.
	그 어떤 영화보다 더 예민하게 집중하는 거,
	너 노력했던 거 나 알아.
정우	…
서영	너 자격 있고, 욕심도 있잖아. 네가 현상이를
	해야지.
정우	…이제야, 날 봐주네.
서영	…정우야.
정우	(핸드폰 꺼내서 보며) 너 탄수화물 안 먹잖아.
	있어봐. 샐러드 시켜줄게.
서영	(나무젓가락 뽀개고, 저어서 후루룩 먹고)
정우	(핸드폰 내려놓고, 같이 라면 먹는)
서영	네가 열 번도 넘게 나랑 컵라면 먹고 싶다고
	그랬었잖아. 근데 내가 한 번을 안 먹어줬어.
	넌 나한테 늘 따뜻했는데 난…
정우	다 불겠다. 그만 말하고 먹어.
서영	…미안해.
정우	미안해하지 마. (라면 먹는)
서영	너같이 좋은 사람한테 막 대해서 미안해.
정우	(울컥, 계속 라면 먹는)
서영	너무 늦게 말해서 미안해…
정우	(고개를 푹 숙이고 라면만 먹는다)
서영	(말을 못 잇는다) …

240

조용히 라면을 먹는 둘의 모습에서…

#9. 정릉 제하의 본가 거실. 밤.

사람들이 떠난 거실을 정리하는 제하와 다음. 그때, 벨이 울리고.
제하, 문을 열면 서영이다. 들어오는 서영. 제하 본가는 처음 온
거라 낯설게 보며.

> 서영   들어와.

서영 뒤에서 정우가 들어온다.

> 정우   안녕하세요.
> 다음   선배님…
> 서영   같이 왔어.
> 제하   잘 왔어요. 들어와요.

CUT TO.

음료를 꺼내 앞에 놓는 제하. 거실에 자리 잡고 앉은 서영과
정우, 다음. 어색한 침묵이 잠시 흐르고.

> 서영   다음 씨 몸은.

다음, 숨을 가다듬고, 솔직하게.

> 다음   제 몸은… 솔직히… 안 괜찮아요. 저도 모르게
>   갑자기 발작을 할 수도 있고 쇼크로 이어지면
>   죽을 수도 있어요.

241

얼어붙은 서영과 정우.

Episode 11

다음	근데 저 스무 살 때부터 이렇게 살았어요.
서영, 정우	…
다음	(웃으며) 서영 선배님. 정우 선배님. 저, 이 영화 다 완성할 때까지 절대 안 죽을 거예요.
정우	(다음을 본다)
제하	우리가 다시 촬영을 할 땐, 많은 도움이 필요하지만… 최악의 상황. 절대 안 만들 겁니다.
정우	…

INS. 4부 53씬.

정우	**규원이 너무 불쌍하지 않아요? 젊고 아름다운 나이에 사랑하는 사람과 헤어지고 죽어야만 한다는 게.**
제하	**사람은 언젠가 다 죽어요. 살아 있는 시간을 의미 있게 보낸다면 불쌍한 것만은 아니라고 생각해요.**

정우	다음 씨.
다음	네?
정우	우리 한번 해보자. 그냥 한번 해보자. 감독님 믿고, 나도 최선을 다해서 규원이 사랑해 볼게.
다음	…저두요. 저두 끝까지 현상이 사랑할 거예요.
서영	(픽 웃고) 대화가 뭐 이러냐.
제하	(옅게 미소) 그러게. 정우 씨. 용기 내줘서

242

고마워요. 두 분 다 믿어 주셔서 감사합니다.

여전히 어색하게 음료 마시는 네 사람.

> 제하   그리고… 두 사람에게 먼저 이야기할 게
> 있어요.
> 서영   ?

제하의 단호한 표정에서.

#10. 다음날. 영진그룹 회의실. 낮.
한상무와 함께 앉아 있는 승원.

> 한상무   오늘 감독 교체 기사 띄우는 거죠? 몇 시에
> 나오나.
> 승원   (시계 보고, 핸드폰 꺼내는) 같이 보시죠.
> 한상무   ?

한상무에게 핸드폰을 통해 무언가를 보여주는 승원.

#11. 한국대병원 민석 진료실 안. 낮.
핸드폰으로 기사를 보는 민석. 놀라서 눈이 커지고.

#12. 한국대병원 정효 연구실 안. 낮.
노크를 하고 급하게 들어온 민석, 핸드폰으로 이미 인터뷰   243
영상을 보고 있는 정효.

> 민석   보고… 계셨어요?

정효	응.
민석	빠르시네요…
정효	누구 딸인지, 화면 참 잘 받지 않니.
민석	(어이없어 보다, 픽 웃는) 같이 봐요. 안 닮았는데…

정효의 뒤로 가 벽에 기대는, 같이 모니터로 인터뷰 중인
다음과 제하를 보는 민석.

#13. 아트시네마 상영관 단상 위. 낮.

단상에 인터뷰 세팅이 되어있고, 다음과 제하, 차분한 얼굴.
희태가 설치해놓은 카메라 앞에서 희태를 마주 보며
인터뷰하는.

제하	시한부 역할에 진짜 시한부를 캐스팅한 게 맞습니다. 처음엔 의학 자문으로 만났습니다.

INS. 1부 62씬.

다음 **자문을 맡게 된 시한부 이다음이라고 합니다.**

다음	무작정 오디션을 보러 갔어요. 위험하다는 감독님께 제가 누구보다 이 역할 잘할 수 있다고 아픈 사람이 아닌 배우로 봐 달라고… 죽더라도 하고 싶다고. 제 마음을 솔직하게 말씀드렸어요.

244

INS. 2부 29씬.

다음 **죽더라도 하고 싶어요.**

제하	**위험한 생각이에요. 이기적인 생각이고.**
제하	시한부 환자의 마음을 누구보다 잘 아는 이다음 배우의 연기가 제 마음을 움직였습니다.

INS. **2부 26씬.**

다음	**아직 죽지도 않았는데 죽을까봐··· 죽을 것 같아요.**
제하	아파도 영화도 보고, 오디션도 보고, 사랑도 하고, 영화도 찍을 수 있다는 이다음 배우에게 기회를 주고 싶었습니다.

INS. **2부 56씬.**

다음	**아파도 영화도 보고, 오디션도 보고, 사랑도 해요. 영화도 찍을 수 있어요.**
희태	꼭 이다음 씨와 영화를 함께 완성해야만 하는 또 다른 이유가 있다고 들었습니다.
제하	저희가 만나고 있는 건 사실이고, 이다음 배우가 아픈 것도 사실입니다. 병이 있다는 걸 알고 캐스팅한 것도 모두 사실입니다. 하지만 그게 전부는 아닙니다. 솔직하게 말씀드릴 게 또 있습니다.

245

제하, 말하기 전에 앞서 다음을 한 번 보는데,
다음이 단상 아래에서 제하의 손을 잡는다. 용기를 내어 입을 떼는 제하.

> **제하** (다시 카메라를 보며) 제 아버지 이두영
> 감독은 훔친 대본으로 영화를 만들어 자신의
> 명예를 누렸습니다. 칸 수상작인 마지막 작품
> 〈하얀 사랑〉을 비롯한 이두영의 대표작들은
> 모두… 이두영 감독의 아내이자 제 어머니인
> 유은애의 대본입니다. 감독 이두영은 자신의
> 명예를 위해 각본가인 유은애의 이름을
> 철저히 지우며 작품을 만들었습니다.

#14. 영진그룹 회의실. 낮.

라이브를 보며 일순간에 충격 받고 뭉개지는 얼굴을 한 한상무.
승원, 한상무를 보고 묘한 미소를 짓는.

#15. 고대표 사무실 안. 낮.

모니터에서 기사를 클릭하는 고대표. 스크롤을 천천히
내리는데 내용은 없고 기자의 이메일만 적힌 급하게 올라온
듯한 속보 기사.
[속보! 거장 이두영의 도작 논란을 폭로한 아들 이제하 감독 (1보)]

> **고대표** 도대체 어디까지 미쳐야 되는 거야… 이 영화는.

#16. 정릉 제하의 본가 안. 낮.

246 거실에 한데 모인 철민, 진미, 조명감독, 미술감독, 유홍, 준병.
유홍이 거치해놓은 태블릿으로 실시간 앤패치 기획 기사들과
인터뷰 라이브를 보고 있는.
조마조마한 얼굴로…

희태   어머니의 작품을 훔친 아버지라니… 가족사와
        도작 사실을 밝히는 이유가 뭐죠?

제하   저 역시 5년 간 방황하다 〈하얀 사랑〉을
        감독하기로 결심했을 때, 누군가의 꿈, 아니,
        이다음 배우의 꿈을 이용하려고 했습니다.
        (다음을 보고)

INS. 10부 47씬.

두영   (은애에게) 내 성공이 우리 가족의 성공이잖아.
        응?

INS. 3부 6씬.
승원이 들어오기 전에 다음과의 오디션 영상이 든 메모리 카드를
승원의 자리에 슬쩍 놓는 제하.

승원   왜 그렇게 꽂혔는데 이다음한테? 걔한테 뭐라도
        있어?

제하   (의미심장하게)… 있어. 우리한테는 없는. 그런 게.

제하   하지만… 영화를 찍으면서 깨달았습니다. 그
        누구도 누군가의 꿈을 이용할 권리는 없다는
        걸. 누군가에겐 목숨보다 소중한 꿈을 훔치고
        이용해선 안 된다는 걸 매일매일 깨닫고
        있습니다.   247

INS. 병색이 완연한 채로 초고를 쓰고 있는 은애. 기침을
     뱉어내고서, 다시 미소를 띤 채 몰입해 집필을 다시

Episode 11

INS. 촬영장. 제하의 오케이 사인을 듣고서 기쁜 표정으로
바라보는 다음의 모습.

제하　　　매 순간 진심을 다해 한 씬 한 씬 소중한
　　　　　삶을 그려내는 이다음 배우와 함께 이
　　　　　영화를 완성하고 싶습니다. 삶의 끝에서도
　　　　　희망을 놓지 않고 글을 썼던 원작자…
　　　　　유은애가 〈하얀 사랑〉을 통해 세상에 전하고
　　　　　싶었던 진짜 이야기를 들려드리고 싶습니다.

다음과 제하, 서로를 단단하게 바라보는.

#18. 한국대병원 정효 연구실 안. 낮.
라이브로 다음과 제하를 보고 있는 정효. 먹먹한 마음…
옅은 미소를 띠는…

#19. 교영의 집 안. 낮.
라이브로 보고 있는 미선과 교영. 조마조마한, 교영은 눈물
글썽이고.

#20. 아트시네마 상영관 앞 복도. 안. 낮.
인터뷰가 끝나고, 마주 선 제하와 희태.

248　　희태　　　부승원 대표가 그동안 나 물 맥인 거
　　　　　　　　만회한다는 게 진짜였네.
　　　제하　　　저한테 관심 많으신 거 압니다. 저와 제
　　　　　　　　아버지를 엮어서 기사도 많이 쓰셨잖아요.

희태	그러니까. 내가 그랬는데 왜 나한테 인터뷰를…
제하	가능한 많은 사람들이 볼 수 있었으면 해서요. 기자님 기사… 조회 수는 항상 탑이니까요.
희태	(피식 웃고) …김진여 씨 인터뷰도 잘 써볼게요.
제하	감사합니다.
희태	(가려다, 다시) 영화, 꼭 완성하세요. 그래야 또 기삿거리가 생기지. 그땐 더 자극적으로 뽑을 겁니다.

#21. 영진그룹 회의실. 낮.

한상무	이 영화 도대체 뭐야? 자기 집 콩가루인 걸 뭐가 자랑이라고 떠벌리는 거지? 이게 지 거야? 지 돈으로 찍어?
승원	(담담히 일어나 한상무 앞으로) 그럼 네 거냐?
한상무	(신경질적으로 째려보다 약간 놀라서) 뭐라 그랬어요?
승원	영화에 돈질하고 싶음 영화도 좀 보고, 어떻게 만드는 지도 좀 알아라 한.상.무.야. 그게 최소한의 예의라는 거야.
한상무	야!!
승원	야? 너 왜 나한테 말을 까냐. 네가 영진그룹 상무지. 우리 회사 상무야? 난 대표야. 새끼야!
한상무	(벙)
승원	어린 놈의 새끼가 돈 가지고 목숨 걸고 일하는 사람들 휘두르고. 뭐 재미? 나도 재밌다! 할 말 다 하니까 재밌어!
한상무	(계속 벙)

249

Episode 11

승원	돈 빼. 십원 한 장까지 싹 다 빼. 회사 건물 팔고, 대출도 좀 받고, 여기저기 돌면서 좀 비굴해짐 돼. 네 돈 필요 없다고.

얼이 빠져있는 한상무를 뒤로하고 나가는 승원.
꽤나 스스로가 멋진 듯 후련하게 웃으며 회상.

#22. 승원의 회상. 서점 안. 낮. (10부 28씬 이어서.)

제하	제안을 하나 할게.
승원	?
제하	이번엔 형이 날 이용해주라.

서로를 노려보는 제하와 승원의 모습.

승원	(표정 풀고 소주 원샷) 무슨 제안인지 들어나 보자.
제하	영화판에 내 소문 어떤지 알지.
승원	아버지 후광으로 영화 만드는 놈.
제하	형 소문은?
승원	영화를 돈으로만 보는 돈벌레. 였는데. 그 이미지 벗어보고자 거장 아들 이제하한테 붙어가는 기회주의자.
제하	(피식) 잘 아네.
승원	(피식) 웃기냐?
제하	그런 후진 소문 말고, 돈도 명예도 안 되는 거 알면서도 영화 하나만 보고 끝까지 책임지고 만드는 제작자 해보는 거 어때.
승원	야… 팔자에 없는 그런 낭만. 죽기 전엔 한

250

번쯤 해보고 싶다.

제하   해보고 싶어만 하지 말고 진짜 하자.

승원   ?

제하   아버지가 어떤 인간인지 그 지긋지긋했던
후광이 얼마나 하찮은 것이었는지 알고
나니까 억울하더라. 내가 그렇게 사랑한
영화를 고작 이것 때문에…

승원   …

제하   그래서 세상에 알리려고. 우리 돈, 명예 그런
거 얻으려고 영화 하는 거 아니고 그냥 진짜
영화가 좋아서, 좋아하는 사람들이 제대로
만들고 싶은 거라고.

승원   …

제하   아버지 민낯은 내가 까발릴게. 영화계에서
매장되더라도 내가. 그건 내가 당할게. 형은
나 이용해서 영화만 보는 좋은 제작자 해.

승원, 제하를 잠시 조용히 본다.

승원   … 우리 〈청소〉 때, 돈 부족해서 엄마 아부지
삼촌 돈까지 다 끌어서 진짜, 악착 같이
찍었잖아.

제하   (웃음 짓고) 그랬지. 형 부모님이 이런 식으로
영화 계속 할 거면 호적 파라고 하셨잖아.
영화가 별거냐고.

251

승원   그땐 영화가 별거였지. 난 그런 영화 다시
하려고 돈 버는 거야. …그런 영화가 〈하얀
사랑〉이고.

Episode 11

제하	(승원 보고) 형.
승원	너 스탭들 배우들 마음 설득할 수 있냐?
	그럼 난 세상 사람들한테 이 영화 팔아볼게.
	너 원하는 대로 아버지 일도 솔직하게 다 까.
	진짜 밑바닥에서부터 다시 해보자. 우리 첫
	영화처럼.
제하	...
승원	뭐 영화계 매장? 네가 영화만 보는 제작자
	하라며. 내가 있는데 네가 어떻게 매장을
	당하냐?
제하	(승원을 본다)
승원	흥행시켜. 조건이야.
제하	(그제야 긴장했던 얼굴을 풀고 맘 놓고 웃는.)

제하, 옆에 있던 종이컵에 소주를 콸콸 따른다.
하나 더 따르고. 승원 주고, 승원, 술도 안 먹는 놈이 뭐하는
짓인가 보는.
제하, 자기 잔을 내밀며 짠 하는.
승원, 웬 떡이냐 기분 좋아 원샷 하는데, 제하 안 마시고
쳐다만 보는.

승원	일관적인 새끼...

그때, 제하가 잔을 들어 원샷 하는. 휘둥그레 놀라는 승원.
좋아서 웃고.
그런 두 사람의 모습...

#23. 영진그룹 회의실 앞 복도. 낮. (21씬 이어서)

회상에서 돌아온 승원.

      승원   이제하 소주 맥인 값이 대체 얼만 거야.

승원, 싫지 않은 미소로 복도를 빠져 나간다.

#24. 아트시네마 상영관 안. 낮.

텅 빈 상영관 단상에 앉은 다음. 그 앞 좌석에 앉은 제하.
마주 보고.
제하, 셔츠 단추를 하나 더 푸는. 숨 돌리고.

      제하   이제 숨 좀 쉬겠다.
      다음   (내려와서, 제하 옆에 앉는, 보는)
      제하   응?
      다음   위로가 좋을까. 축하가 맞을까.
      제하   글쎄, 둘 다 아닌 것 같은데.

다음, 지쳐있는 제하의 얼굴을 천천히 보다가,
깊게 안아주는.

#25. 아트시네마 로비 안. 낮.

인포에서 명훈과 얘기하고 있는 승원, 다음과 제하가 나오자
손 흔들고.

253

      승원   고생했다. 둘 다. 시원하냐.
      제하   고마워 형.
      다음   대표님. 감사합니다.

승원	나도. 고마워요. 나… 돈에 미쳐서 사람
	아닐 뻔했는데, 이 영화가 그렇게 안
	두네. 다음 씨. 내가 사과를 못 했어요.
	…미안합니다.
다음	대표님은 좋은 사람이에요. 제가 알아요.
승원	…무슨. 아니에요.
다음	그리고 정말 멋있으세요. 누구보다 영화를
	사랑하시잖아요. 그래서 저 받아주신
	거잖아요.
승원	뭐… 에이. 뭘.
제하	형, 혼자 짊어지려고 하지 마. 그거 안
	어울리고 안 멋있어.
승원	당연히 이 짐은 너랑 엔분의 일이야.
	각오해. 아 우리 바로 펀딩도 열 거야.
다음	저도 좀, 돕고 싶어요. 대표님.
승원, 제하	?

#26. 정릉 집. 낮.

제작 사무실처럼 꾸며지고 있는 정릉 집 거실. 모여 있는
철민, 진미, 유홍.
유홍, 노트북으로 앤패치 채널에 올라온 인터뷰 영상에 달린
댓글들을 보는. 간간이 악플도 보이는데…
→ 니네 그냥 이걸로 영화 찍어. 〈하얀 사랑〉보단 재밌겠다야.
→ 이게 K-신파의 맛이다…
→ 그래서 쟤 죽냐고 안 죽냐고, 9번째 묻는다. → Re: 겠냐?

254

| 유홍 | (한숨 쉬며) 악플도 만만치 않네요. 다음 |
| | 씨가 이거 안 봤음 좋겠는데… |

철민	이감독도 걱정이네. 아무리 그래도
	사람들에게 밝히기 어려운 가족사였을 텐데…
진미	그럴 수 있는 용기가 어디서 나온 건지 너무
	잘 알겠어요.
유홍	어디서 나온 건데요?
진미	사랑. 사랑밖에 더 있어?
철민	(피식) 그런 사랑 없다면서요.
진미	내가 아직 덜 살았나봐. 여기 있던데?
유홍	(조용히) … 사랑.
철민	우린 우리 자리에서 우리가 할 수 있는
	역할로 응원하죠,

잠자코 노트북을 보고 있던 유홍이 무언가 보고 놀라
테이블에 노트북을 턱 얹어놓고.

| 유홍 | 이거 보셨어요? |

유홍, 링크를 클릭해 타고 들어가면, 펀딩 페이지.

| 철민 | 뭐야? 어? 이거 우리 영화잖아. |
| 진미 | 그러네… 언제 이런 게 생겼어? |

유홍이 스크롤 내리면, 영화를 소개하는 내용에 다음이
캠코더로 찍은 스태프들의 모습이 편집 된 영상이 펼쳐진다.
(영상내용) 현장 스태프들 열심히 촬영하고 밥 먹고 웃고   255
진지하고 다양한 모습들이 편집되어있다. 마지막에 뜨는
자막 한 줄. '매 순간 최선을 다하는 사람들을 응원해주세요'

유홍	어… 이거 우린데.
진미	이거 다음 씨가 찍은 거 같은데?
철민	이럴 줄 알았음 좀 씻을 걸 그랬네.
유홍	여기는… 사람들이… 응원해요…
철민	(댓글 읽는) 영화 하나가 뭐라고 자기 목숨까지 걸며 도전하는 걸까. 응원합니다. 끝까지 힘내서 영화 촬영해주시길 바랍니다. 개봉하면 꼭 극장에서 보겠습니다.
진미	(눈물 글썽해서) 뭐야 진짜…

#27. 미선의 카페. 안. 낮.

미선의 카페. 미선은 설거지 중인. 앞치마를 푸는 교영, 〈하얀 사랑〉 펀딩 페이지로 연결되는 QR코드를 인쇄해 붙여놓는. 자신의 핸드폰으로 찍어 확인하고, 링크를 툭, 던지듯 무심한 표정으로 누군가에게 보낸다.

#28. 스튜디오. 낮.

재인, 라이브 방송 중인데, 표정이 어둡다. 그때, 핸드폰이 울리고, 교영의 메시지. 재인, 링크를 확인한다. 잠시 고민하며 본다.

재인	(어두운 표정 풀며 텐션 올리고) 여러분~ 제가 부탁이 하나 있어요!

256 재인, 라방 화면에 펀딩 페이지를 띄운다.

#29. 한국대병원. 안. 낮.

외래 진료실을 나온 정효.

간호사들이 모여서 누군가 보내온 듯한 정성 가득한 간식을
나누고 있고.

> 간호사1   (정효 부르며) 교수님!
> 정효   네.
> 간호사1   이거 드세요. 민정 씨 어머님 또 왔다 가셨어요.
> 정효   (웃으며) 그래요? 저도 좀 주세요.
> 간호사2   (핸드폰 다른 간호사 보여주며) 이렇게?
> 정효   뭐예요?
> 간호사2   교수님도 하셨어요? 우리 다음 씨 영화
>   펀딩하고 있다구 민정 씨 어머님이 저희 하는
>   방법 다 알려주고 가셨어요.
> 정효   (울컥해… 옅게 웃는) 나도, 할 수 있나?

#30. 한국대병원 앞 정류장. 낮.

병원에서 나온 승희, 밝아진 얼굴로 정류장에서 버스를
기다리며 펀딩 페이지를 핸드폰으로 보는. 거기에 나온 다음의
영상을 보며 눈물을 글썽이고.
민정이가 살아 있다면, 다음이처럼 살고 있겠지. 그런
마음으로…

#31. 제작사 사옥. 승원의 사무실 안. 낮.

짐을 정리하고 있는 승원. 이사 박스가 여기저기 물건들이
가득 담긴 채 놓여 있다.
문이 열리고, 승원, 보는데… 고대표다.   257

> 고대표   (어수선한 사무실 둘러보며) 부대표 사옥
>   팔았다더니 사실이네.

승원	아… 네.
고대표	사옥도 팔았는데, 출연료는 안 들어오네?
승원	왜 이렇게 빚쟁이처럼… 대표님 우리가 함께 한 세월이 있는데 너무 그렇게 공과 사 구분 짓지 말구~
고대표	공과 사에서 사는 원래 없었어. 돈 얘기부터 하자구.

#32. 준병의 식당 안. 밤.

식사를 마친 듯한 제하와 다음. 다음이 손바닥 한가득
색색의 약을 올려놓고 한입에 털어 먹는. 제하, 물 따라서
건네주는. 준병, 다른 손님 계산을 마치고 있는데, 나가던
손님 둘이 힐끔거리며 수군거리고. 제하, 다음… 의식하지
않으려 애쓰는데.

손님1	저… 맞죠?
다음	아, 네?
손님1	기사 봤어요. 저도 후원했습니다!
제하	…!
손님1	저도 아프거든요. 이제 항암하러 들어가야 하는데… 〈하얀 사랑〉 나오면 꼭 극장에서 볼게요.
다음	(뭉클해서, 일어나) 저… 한 번만 안아주실 수 있어요…?

258

손님1, 다음을 안아주고, 다음 깊이 안는다. 인사하고
돌아가는.
준병, 멀리서 눈물 훌쩍이다 주방으로 들어가고.

| 제하 | 보여줄 거 있어요. |

제하, 다음의 옆자리로 옮겨, 태블릿으로 펀딩에 달린
댓글들을 다음에게 보여주는.

- **두 사람 보면서 진짜 멋지다고 느낌. 두 사람의 진짜 〈하얀
  사랑〉이 꼭 끝까지 완성되었으면! 파이팅!**
- **자신의 치부일 수 있는 사연을 세상에 밝힌다는 게 쉽지
  않았을 텐데… 많은 걸 느꼈습니다. 작은 마음 후원했습니다.**
- **희귀 유전 질환자의 가족으로서, 배우님의 이야기에 동생과
  펑펑 울었습니다. 인터뷰를 보고 위안을 얻었어요. 배우님이
  보여주신 희망이 세상에 닿을 수 있기를.**

다음, 눈물을 꾹 참으며 댓글들을 천천히 읽는. 제하를 보고,
환하게 웃는다.

| 다음 | (괜히, 밝게) 아, 이 마음들을 내가… 어떻게
갚지. |
| 제하 | 보여줘야죠. 이 분들 마음 다 우리 영화에
담아서. |

#33. 커피숍. 안. 밤.
마주 앉은 서영과 승원.

| 승원 | 러닝 개런티로 돌려달라고? 왜? 아니,
고마워. 고마운데, 근데 왜? |

| 서영 | 펀딩, 되더라도 한참 부족하잖아요? 나나
김정우 출연료 그대로 감당할 수 있어요? |

승원	없어…
서영	그럴 것 같아서. 정우랑은 같이 얘기 끝냈어요.
승원	나야 그렇게 해주면 눈물 나게 고맙지…
	고대표님 투자만으로도 고마운데…
서영	(뜻 모를) !?
승원	고대표님 사람 그렇게 안 봤는데 되게 의리
	있으시더라.
서영	무슨…
승원	이감독이랑 다음 씨 인터뷰 기사보고
	찾아왔어. 자기가 투자한다고. 몰랐구나…

놀란 서영의 얼굴.

#34. 고대표 사무실 안. 밤.

한참 기다린 듯. 불 꺼진 사무실에 홀로 앉아 있고. 고대표가
문을 열고 들어온다.
불을 켜면 서영이 보이고.

고대표	뭐야. 말도 없이. (겉옷 벗어 걸어두고 히터
	틀고, 가습기 켜는) 넌 춥지도 않니.
서영	(그 손길들을 보고) …

INS. 11부 33씬과 같은 상황.

승원	**그러니까, 나도 왜 그러시냐 물었지. 채서영이**
	한다니까 자기가 별수 있겠냐. 채서영은 한다고
	하면 하는 배운데. 그러더라고.
서영	…무슨 생각으로 〈하얀 사랑〉에 투자를 해요?

260

고대표	너 묶어두려고.
서영	?
고대표	〈하얀 사랑〉 찍어. 내가 투자도 할게. 네가 네 역할만 제대로 해내면 나 이 영화 그렇게 망할 거라곤 생각 안 해.
서영	이제하는 안 된다고 다 미쳤다고 발 빼라면서.
고대표	내가 여기서 어떻게 더 억지를 부리니. 이다음은 이게 마지막 영화라기엔 그 재능이 아까워서 죽겠고. 이제하는 그 욕을 먹고도 끝까지 버티는 걸… 봐버렸잖아?
서영	…그럴 거면서.
고대표	(어렵게 꺼내는) 실은 네가 엎어지는 게 꼭 내가 엎어지는 것 같아서 그랬어. 그리고 내가 엎어져 봤으니까 너만은 그렇게 만들기 싫었어.
서영	…무슨 말이에요.
고대표	내가 못다 이룬 꿈… 너로 대리만족 한 거였다구. 그래서 멈추질 못하겠더라.
서영	…미안해. 내 생각만 해서… 나만 보는 사람들한테 난 왜 이렇게 못되게 구는지 모르겠어…
고대표	(안쓰럽고) 그러니까 제대로 연기해서 〈하얀 사랑〉 보란 듯이 성공시켜. 채서영의 성공이 고혜영의 성공이니까.

261

고대표의 진심에 울컥하는 서영.

Episode 11

#35. 정릉 제하의 본가. 밤.

어둑하고 푸르스름한 새벽 전경.

#36. 정릉 제하의 본가 손님 방. 새벽.

어둡고 푸르스름한 아침. 다음, 눈을 뜨면, 제하가 다음의
손을 잡은 채로 침대 맡 옆에 앉아서 잠들어 있다. 다음,
놀라서 몸을 일으키려다 말고 다시 누워 잠든 제하의 얼굴을
천천히 본다. 그러다 슬며시 손을 빼 덮고 있던 이불을
조심조심 끌어다 제하에게 덮어주는. 그때, 제하가 눈을 뜬다.

> 다음   깼어요? (시계 보고) 더 자도 돼요. 아직 너무
>   이른 시간이에요.
> 제하   잠깐 본다는 게 잠들었어요.

다음, 침대 벽 쪽으로 몸을 옮기고, 빈 곳에 톡톡, 이쪽으로
오라고.
제하, 아니라고 고개를 젓는데, 다음이 소매를 꼭 붙잡고.
제하, 할 수 없이 일어나 침대, 다음의 옆으로 다가가 눕는다.
같이 누워 서로를 애틋하게 바라본다.

> 다음   기적이라는 거, 희망이라는 거. 그 단어만
>   들음 화가 났어요.
> 제하   (듣는)
> 다음   그런 게 나한테 찾아올 리 없으니까.
> 제하   (다음의 손을 꼭 잡고)
> 다음   그런데… 지금 내 세상은 온통 기적이에요.
> 제하   나한테도 찾아왔어요. 이다음이라는 기적.
> 다음   …

제하	내 세상도 온통 변했어요. 너무 캄캄했는데, 다음 씨가 갖고 있는 빛으로 자꾸만 환해져요. 그런 사람이 나한테 와줄 리 없는데. 이렇게 내 앞에 있잖아요.

제하, 옅게 웃고 눈이 감긴다.
다음, 한참 잠든 제하를 쳐다본다. 손가락으로 제하의
얼굴을 조심스럽게 만져보는.
눈썹, 속눈썹, 볼과 턱 끝… 그러다 눈이 감기는.

#37. 정릉 제하의 본가 손님 방 안. 아침.
어느새 침대에서 혼자 편히 자고 있는 제하. 잠에서 깨는데,
옆에 다음이 준비를 다 마친 차림새로 쳐다보고 있고.

제하	어? 언제 일어났어요?
다음	나는 일어난 지 한참 됐어요. 이따 스탭들 온다면서요. 난 교영이네 가서 이모 보고 올게요!
제하	데려다 줄게요.
다음	아니에요. 매니저님 밖에서 기다리고 있어요. 갔다 올게요.

다음, 돌아서 가려다 다시 와서 제하 볼에 뽀뽀하고 가는.
제하 좋고.

263

#38. 정릉 제하의 본가 안. 낮.
유홍과 제작팀장, 제하, 앉아 있고.
승원, 낑낑거리며 어디서 가져온 큰 모니터에 노트북을

연결하는.

제하	어떻게 된 거야? 제작사 사옥. 문 왜 닫았어.
승원	팔았어. 한남동 금싸라기 땅이라 금방 팔리더라. 100억짜리 건물에 낀 대출이 70억이라 팔아도 뭐, 세금 내고 나니까 쥐는 현금은 얼마 안 돼.
제하	형, 그거… 좀 그만하고 나와 봐. 얘기 좀 해.
승원	잠깐 있어봐 임마. 다 했어. 어, 연결됐다.

승원, 모니터에 노트북 연결을 하고.
모금된 크라우드 펀딩 페이지를 보여주는. 5억 돌파된.

승원	이제하 이다음이 모은 사람들, 다 우리 관객이 돼버렸네.
제하	(놀란 듯, 먹먹하게 훑어보는)
유홍	와… 이게 이렇게도 되는구나…

승원, 끄고, 잠깐 제하의 눈치를 바라보다가…
4부에서 이야기했던 안동 PPL 자료를 띄우는.

유홍	(영혼 없이) 와. 안동이다. 안동. 선비의 고장.
제작팀장	(괜히 분위기 살리려) 오, 오늘 점심은 찜닭 어떠세요?
승원	(말없는 제하 보며) 아, 몰라 몰라. 무조건 녹여. 우리 돈 없어. 한상무가 쏙 빠져나가니까 진짜 먹고 죽을래도 돈이 없어.
유홍	비욘드엔터도 투자하고, 펀딩도 5억이나

264

모였는데?

승원   그래봤자 원래 제작비 반도 안 돼. 이
      저예산으로 남은 촬영 꾸려 가려면 숨이
      턱턱 막혀.

제하   (시나리오 보며) …좋아. 가자.

모두   ?!

제하   가자고, 안동. 87씬 이거 톤 좀 바꿔서
      현상이가 맘을 바꿨잖아. 그거 여기서 찍음
      좋겠는데, 거기 소개서 좀 줄래?

유홍   …! (제하와 승원을 번갈아보는)

승원   …? 그때는 들은 체도 안 하더니

제하   그때랑 지금이랑 상황이 같나.

승원   (안 믿기는 표정으로) 그냥 솔직하게 말해.
      난 괜찮아.

유홍   그래요… 무서워요.

제하   (웃으며) 진짜 좋다고. 월영교. 여기 괜찮네.
      촬영 다시 시작할 장소로 딱이야. 이거
      말고도 PPL 더 넣을 수 있는 거 없어?

승원   아 잠깐만 나 진짜 눈물 나려고 그래. 우선
      찜닭 시켜.

제작팀장 네!

승원   그럼, 스케줄 잡는다?

제하   응. 참. 근처에 종합병원 있는지…

유홍   바로 찾아볼게요!

제하   시간도 없으니까, 빨리 내려가서 로케이션   265
      돌아보고 바로 이어서 촬영 시작하자!

승원   하여간, 변했어. 좋아, 아주 좋아.

#39. 교영의 집 거실 안. 낮.

식탁에서 밥 먹는 다음과 교영. 미선, 계속 김에 밥을 싸서
다음의 접시에 놓고.
바쁘게 다시 도마에 야채를 통통통 써는. 다음, 한편에
쌓아올린 반찬통들을 보는.

교영   안동에 가서 촬영하구 다시 삼척 넘어가
            촬영한대.

미선   한참 못 보겠네. 안 부족할라나 모르겠다.

다음   이모는 언제부터 그렇게 칼질을 잘했어?

미선   응? 원래는 못 했어.

다음   근데 어느 날 짠하고 잘하게 됐어?

미선   아니. 될 때까지 하는 거지. 하다가 손가락도
            찢어 먹구. 그래도 포기 안 하고 될 때까지
            이렇게 (탕탕탕) 하면 다 돼.

다음   겁나 멋있다.

교영   응. 이건 진짜 좀 멋있다.

다음   나 이모 닮았나봐. 포기 안 하는 거.

교영   니가 더 우리 엄마 닮았다. 인정.

다음   아니. 너 이모 똑 닮았어. 기억해? 나
            초등학교 운동회 날 이모가 나 엄마 없다고
            수군대는 사람들 다 혼내줬잖아.

미선   아우 야. 말도 꺼내지 마. 아주 못 배워
            먹어가지고.

다음   그런 이모의 딸은 학생 때도 지금도 나
            대신 화내주고 나 대신 싸워주고 나
            때문에 울어준다. 어린 나한테 유전은 그냥
            병이었는데… 이모랑 교영이 보면서 유전이란

266

사실 따뜻한 거구나란 생각을 했지.

미선 (울컥하고, 내색 않고) 참나. 밥이나 남기지 마.

다음 삼척 넘어가면 나 보러 안 올래요?

미선 내가?

다음 당연하죠. 나 연기하는 거 안 궁금해?

미선 어우 야… 궁금해! 엄청 궁금하지. 우리
다음이 연기하는 거.

다음 그럼 울 아빠랑 같이 와주면 안 돼요? 이모랑
아빠한테 나 꼭 보여주고 싶어.

미선, 울컥하는. 일어서서 괜히 주방 정리하면서.

미선 …알았어. 가야지. 당연히 가야지.

교영도 괜히 울컥해 김밥 입에 와구와구 넣고.
다음도 씩씩하게 밥 먹는.

#40. 다른 날. 안동 시청 대회의실 안. 낮.
시청 주무관 두어 명과 승원 제하 명함 주고받고, 대화하는.

#41. 안동 시청 주차장. 밖. 낮.
승원과 제하. 차 쪽으로 걷고, 뒤따르는 주무관들.

승원 (복화술로) 이쪽은 내가 책임질 테니까 넌
빠져.

제하 같이 가.

승원 빠져. 너 말도 없고, 도움도 안 돼. 촬영장소나
보러 가. 스탭들 숙소에 다 왔대.

267

Episode 11

제하	그럴까 그럼?
승원	데이트하라고 빼주는 거 아니다. 일이야 일.

방향을 쏙 틀어 자기 차로 가는 제하.
승원 얄미워 콱 째려보고 주무관들 향해 자본주의 미소 짓는,
제하, 걸어가면서 다음에게 전화 거는.

제하	도착했어요? 그럼 내가 알려주는 장소로
	올래요?

#42. 낙강물길공원 앞. 주차장. 밖. 낮.

제하가 차에서 내리자 앞에 쪼르르 서 있는 다음, 준병, 유홍.

제하	다음 씨는 나랑 가고, 홍이는 준병이 데리고
	장소 훑어보고 사진도 찍고. 무슨 일 있음
	전화하고.

제하, 다음을 챙겨서 가 버리는.

유홍	(황당하고 어색하게 준병을 보고) …가…
	가시죠.
준병	(묘하게 떨리는) 네… 제가 뭘 도와드리면
	될까요?
유홍	그냥 따라오세요.

268

유홍, 쿨하게 앞장서는. 준병 유홍 쪼르륵 따라가는.

#43. 낙강물길공원. 낮.

분수가 보이는 풍경 좋은 벤치에 자리 잡은 제하와 다음.
다음이 캠코더를 꺼내 풍경을 담는다.

제하   캠코더 잠깐 줘 볼래요?

다음, 제하에게 건네고, 제하, 캠코더 받아 다음을 찍는다.

제하   이 캠코더가 우리 영화에 큰 역할을 했네.
다음   (웃는) 그럼요. 아주 아주 쓸 데가 많은
         캠코더랍니다.
제하   여기 봐 봐요.
다음   (갑자기 포즈) 안녕하세요. 신인배우
         이다음입니다! 하핫.
제하   (웃음 터지는) 네. 안녕하세요.
다음   우리 상황극 하나 해요. 나는 건강하고 되게
         유명한 배우. 감독님은… 영화가 쫄딱 망한
         감독. 근데, 감독님이 내가 너무 필요한 거예요.
제하   내가 막 매달려요?
다음   (입틀막, 감격하는) 네. 그거 좋다. 자, 시작!
제하   아 예. 다음 씨. 이런 데서 보네요.
다음   보내주신 시나리오 안 봤어요.
제하   (웃고) 네, 좀 봐주시죠. 보면 하고 싶을 텐데.
다음   컷. 컷. 컷. 감독님. 연기가 그게 뭐예요. 좀
         더 겸손하게. (캠코더 빼앗아 제하를 찍으며)   269
         지금 너무 쿨하잖아요. 그 감정, 모르겠어요?
제하   다시 해볼게요. 다음 씨, 한 번만 출연해
         주실래요?

다음	(웃음 참고) 싫은데요.
제하	그럼… 읽어보기라도 해주세요.
다음	바빠서요.
제하	그럼 영화는 됐고, 데이트나 하죠.

다음, 순간 멋있어서 정지된 듯 제하 보고.

제하	?
다음	(캠코더 접고) 그거 좋겠다. 영화는 됐고, 진짜 데이트나 하고 싶다.
제하	데이트해요. 마침 명분도 있고.

#44. 낙강물길공원. 낮.

- 풍경 좋은 곳곳을 다음과 걷는 제하. 장난치면서 돌다리도 건너는.
- 제하가 장소 사진 찍고 있으면 어느새 앵글에 들어가 포즈 취하고 있는 다음.

#45. 낙강물길공원 돌다리. 낮.

유홍을 따라가던 준병이 발을 헛디뎌 살짝 빠지고.

유홍	(뒤돌아 빠진 준병 보고) 어?
준병	(민망하지만 최대한 의연한 척) 괜찮습니다.
유홍	잡아줄까요?
준병	그건… 예. 감사합니다.

270

유홍이 준병 잡아줘서 올라오는. 어색하게 손 떼고.

준병	하하. 제가 원래 군대에서 특수훈련 받을 때는
유홍	(고개 획 돌려) 둘러볼 곳이 많아요. 빨리
	빨리 따라오세요.
준병	넵.

유홍, 건너편에 다음과 제하가 보이자, 눈치껏 방향을 확 틀어 반대쪽으로 간다.

유홍	생각해보니까, 저쪽을 안 봤네.
준병	아니 우리 다 봤는데.
유홍	(준병 손 잡고 끈다) 아, 그냥 따라와요.
준병	(괜히 좋다)
유홍	내가 보기엔 우린 이용당했어요.
준병	그걸 이제 알았어요?
유홍	진짜 일할 줄 알았는데…
준병	(귀여워서 푸읍 웃는)
유홍	왜요?
준병	아뇨! 아무것도 아니에요!

놀란 유홍, 뒤늦게 준병 손을 계속 잡고 있던 걸 깨닫고 확 놓아 버린다.
다시 돌다리 밑으로 발이 빠지는 준병. 그래도 기분이 좋다.

#46. 월영교. 밤.
다리 초입에 다다른 다음과 제하.   271

| 제하 | 너무 무리한 것 같아요. 오늘은 여기까지만. |
| 다음 | (다리 야경보고) 저걸 보고도 여길 안 걸어요? |

제하	(보는, 맘에 들지만) 안 돼요.
다음	딱 저기 중간까지만 가요. 응?

하는 수 없이 다음 따라가는 제하, 그렇게 중간에 다다른 둘.

다음	우리, 영화 끝나면 뭐 할까요?
제하	글쎄요. 뭐든 좋을 것 같은데.
다음	감독님은 그냥 내가 좋구나.
제하	(픽 웃고) 잘 아네.
다음	나 하고 싶은 거 하나 있거든요? 나 마지막 촬영까지 잘 해내면 그거 꼭 같이 해줘요.
제하	뭔데요?
다음	지금 말하면 재미없지. 일단… 음… 감독님 스타일은 아니구 철저하게 내 스타일이라.
제하	벌써 무섭네.
다음	잘해야지. 잘해서 그거 꼭 해야지.

제하, 다음을 예쁘게 바라보다, 입 맞춘다.
아름다운 다리 위의 두 사람.

#47. 다음날. 월영교. 낮.

촬영 진행으로 분주한 월영교 현장
모든 스태프들과 촬영 준비를 마친 정우, 촬영이 없는
서영과 고대표, 민희도 보인다. 민석과 준병, 교영도 보이고.
(이후 민석과 교영은 촬영장에 상주) 제하, 다시 시작된
촬영장의 모습을 눈에 담는다. 다음도 감격스러운 모습으로
스태프들을 본다. 승원, 제하에게 와서,

승원	감독님아. 한마디 해야지.
제하	(끄덕)
승원	자자, 감독님이 한마디 하신답니다.

스태프들, 제하 주목.

제하	어… 음…
승원	하여간.
제하	(호흡 가다듬고) 여러분들이 도와주신 덕분에 여기까지 올 수 있었어요. 남은 촬영도… 끝까지 잘 부탁드립니다.
승원	(괜히 하품하며) 하암…
제하	(승원 살짝 흘기고) 하얀 사랑 하면 파이팅… 할까요?
승원	(풉) 갑자기? 니가? 할 수 있겠어?
제하	(승원 눈빛 주고)
승원	(괜히 쭈글) 크게 해야 돼.
제하	(크게) 하얀 사랑!
모두	파이팅!

스태프들 모두 파이팅 하며 박수치고, 서로 같이 잘해보자고
다독인다. 다음, 감격스럽게 그런 모습 보고, 제하도 그런
다음의 모습을 본다.
월영교 위 바쁜 촬영 현장의 모습에서.

273

#48. 삼척 풍경. 아침.
다른 날. 삼척 서점 세트장 뒤로 해가 떠오른다.

#49. 준병의 차 안. 삼척 숙소 앞 주차장. 낮.

준병   드디어 다시 돌아왔네. 좀 쉬어야지?

다음   네… 짐부터 정리하구… 아, 매니저님! 저
        휠체어 좀 구해주실 수 있을까요?

준병   (걱정스럽게) 왜? 아파?

다음   (웃고) 그런 거 아니에요!

#50. 삼척 바닷가 인근. 낮.

다음, 교영과 산책 중인.

교영   여행 온 것 같다.

다음   그러게. 우리 둘이서 여행도 못 가봤는데…

교영   아니? 정정할게. 여행 온 것 같은 게 아니라
        여행이다. 너랑 이렇게 바다도 보고 같이
        걷는 게 여행이지.

다음   (멈춰 서서, 머리칼 넘겨주고) 고마워. 여행
        같이 와줘서.

교영   안 추워?

뒤에서 소리.

재인   이다음!

다음과 교영이 돌아보면 재인이 숨을 헐떡이고 있다. 핫팩이
274   가득 든 봉지를 들고.

교영   남재인?

다음과 교영 앞에 다다른 재인.

재인   (숨 고르고) 저 멀리서부터 불렀는데…

다음   (놀라서) 너… 촬영 없잖아.

재인   응. 없어. 너 때문에 왔어.

#51. 삼척. 작은 카페 안. 낮.

다음과 교영, 테이블 위에 놓인 핫팩 담긴 봉지를 보고.

다음   이거 주러… 서울에서 여기까지 온 거야?

재인   설마. …니네 둘. 사람 바보 만든 건 알아?

교영   남재인, 그건…

재인   니넨 정말 이상해. 이다음 넌, 사람
미치게 갑자기 사라지고. 곽교영 넌, 그걸
비밀이라고 숨기고.

다음   (마음이 쿵) 재인아.

재인   서로 위해주는 니네 보면서… 따라하고
싶었어. 비슷하게 흉내라도 내면서… 나도
니네랑 친구하고 싶었어. 근데… 둘 다 그렇게
사라지니까… 솔직히. 친구할 수 있을 거라
생각한 내가 너무 바보 같더라.

교영   재인아…

다음   내가 그땐, 다 포기하고 병원으로 들어가는
게 너무 힘들어서 차라리 사라지고 싶었어.
얘기했어야 됐는데… 내가… 나만 생각했어.
미안해, 재인아…

275

재인   난 그것도 모르고… (울컥) 너한테 인생이
얼마나 신나냐 그랬잖아. 그딴 말을… 했잖아.

다음	이렇게 네가 왔잖아. 솔직하게
	이야기해줬잖아. 우리 서로 잘못했으니까…
재인	(울음이 터져) 내가 잘못했어… 네가 왜
	아파… 왜…

다음, 자리를 옮겨 재인의 옆으로 가 눈물을 닦아주는…
그런 두 사람을 보는 교영, 눈물이 그렁하다.

#52. 삼척. 촬영현장. 몽타주. (경쾌하게)

- **서점. 낮.** 유홍이 씩씩한 목소리로 슬레이트 넘버를 외치고
  빠져나가면, 서점 안의 즐거운 다음이 보이고 제하가
  액션을 크게 외치며 촬영이 시작되는.
- 촬영 중간, 다음과 상의하고 있는 제하. 다음이 한 번만 더
  가자고 얘길 하면 제하가 웃으며 고갤 끄덕이는.

CUT TO.

- **서점 인근. 낮.** 화면 속 정우와 다음이 탄 자전거가
  지나가고 나면, 제하가 한 번 다시 가자 외치고, 모니터
  앞에서 일어나 기지개를 켜는데, 철민 땀이 범벅이 되어서
  핸드그립 세팅한 카메라를 들고 첫 자리로 다시 뛰어가고,
  진미, 다음에게 뛰어와 얼굴을 다시 만져준다. 저 멀리서
  다가오는 차들을 통제하기 위해 경광봉을 흔드는 승원과
  준병, 교영, 민희도 보이고… 분주하게 움직이며 다들
  본인의 자리에서 최선을 다하는 사람들이 눈에 들어온다.
  276 그런 그들을 감사한 마음으로 바라보는 제하.

CUT TO.

- **서점. 낮.** 서영이 돌아서면 소리 없이 오열하는 다음의

연기가 시작되고. 헤드셋을 낀 채로 모니터를 유심히 보는
세하의 표정도 덩달아 슬퍼 보인다. (현상이 없을 때에
규원을 찾아온 정화, 현상을 놓아달라는 부탁을 듣고
오열하는 규원) 오케이를 외치는 제하, 후련하게 울고 난
다음과 그걸 칭찬하는 서영. 그렇게 촬영이 계속 진행된다.

#53. 삼척. 서점 인근. 밤.
기사가 강우기를 점검하고 있고, 제하, 그 모습을 걱정스런
모습으로 보는.

#54. 삼척. 서점 앞. 밤.
촬영 세팅된 (점점 더 병색이 짙어진 규원, 휠체어 없이 혼자
움직일 수 없는 자신의 처지에 개탄하는 장면) 준비 중인
스태프들. 다음, 제하 자리 옆 간이의자에 두꺼운 패딩을
입고 앉아서 대기하고 있다. 난로 여러 개가 놓여있다.
대사를 읊조리며 감정 잡고 있고.
제하, 입고 있던 겉옷을 벗어 의자에 걸어두는. 그리고 현장
한가운데로 가는.

> 제하   비 좀 뿌려 주세요.
> 유홍   네?
> 제하   체크 좀 해볼게. 뿌려 주세요.

기사가 강우기를 가동하자, 하늘에서 비가 뿌려지는.
제하, 눈을 감고 비를 맞기 시작한다. 다음, 그 모습을 놀란 277
눈으로 지켜보는.
강우기에서 내리는 비가 그치고. 자리로 돌아와 수건으로
물기를 닦는 제하.

제하	(다음 보고) 비는 뺄게요.
다음	…(조심스레) 일 분도…
제하	(단호하게) 안 돼요. 비 없이 갈게요.
다음	…네.

#55. 삼척. 분장차 안. 밤.

다음, 분장차 한편에 놓인 가방에서 체온계와 약통을 꺼내, 약을 먹고. 체온 측정해보는. 적정온도를 확인하고서, 거울을 보며 매무새를 다듬는. 간절한 얼굴로.

다음	할 수 있지. 할 수 있어. 잘 할 수 있어. 잘 하고 싶어.

#56. 삼척. 서점 앞. 밤.

현장. 다음, 몰입해 연기하는 모습. 현상에게 전화를 걸지만 안 받자 휠체어에 아픈 몸을 싣고 가려는데, 휠체어가 고장 나 잘 움직이지 않고, 휠체어에서 내려 한 발 한 발 어렵게 걸어 나가려다 힘이 빠져 마당 한가운데 쓰러지고 오열하는. 모두가 숨죽여 다음의 연기에 집중하고, 제하, 모니터 속 다음의 감정에 집중하는…

제하	…컷.

준병이 서둘러 담요와 패딩을 들고 다음에게 뛰어가는. 제하도 자리에서 일어나 다음에게.

278

준병	괜찮아?
다음	그럼요. 아무렇지도 않아요.

제하	(걱정스레 보는) 방금 건…
다음	(밝게 웃으며, 눈물 닦고) 다시 해요.
제하	할 수 있어요?
다음	열 번도 백 번도 더 할 수 있어요.
제하	한 번만 더 해요.

다음, 웃으며 다시 패딩 벗고, 자리로 걸어가는.
스태프들도 다음의 상태보고 안심하고. 제하도 안도의 미소를
짓는.

#57. 삼척. 다음의 숙소 앞 복도. 밤.

제하와 다음, 문 앞에 다다르고.
제하 멈춰서서 다음의 이마에 손을 짚어보는. 얼굴이 굳어지는.

제하	김민석 선생님 불러올게요.
다음	열이… 나나?
제하	들어가 있어요.
다음	알겠어요. (문 열고, 들어가려다) 감독님.
제하	?
다음	나 때문에 만족스럽지 않은데 그냥… 오케이 한 거 아니에요? 솔직하게요. 비도 포기했고… 난 좀… 아쉬워요.
제하	다음 씨가 보여준 거 나 허투루 대충 넘기지 않아요. 그런 괜한 걱정하지 마요. 오늘, 정말 좋은 장면 만들었어요.
다음	다행이다.
제하	들어가요.

279

#58. 삼척. 숙소 다음의 방 안. 밤.

다음 들어와 문을 닫고. 가방에서 체온계로 열을 재보는.
38.1℃.
온도를 가만 보다가 어지럼증을 느껴 주저앉는. 귀가
먹먹해지고, 너무 힘들어 그대로 눕는다.
눈을 감고, 심호흡하는. 이때, 전화가 오는. 보면,
〈장례지도사 김지호〉
다음, 한참을 보다 받는다.

> 다음   (힘들게) 여보세요?
> 장례지도사(E) 이다음 고객님? 저번에 한국대병원에서
>   뵙고 문자 주셨잖아요. 그때 말씀하신
>   거 좀 알아봤는데 통화 괜찮으실까요?
> 다음   아… 지금은 제가 좀 바빠서… 다음에
>   연락드릴게요. 죄송합니다.

다음, 전화를 끊고. 예상치 못한 전화에 가슴이 뛴다. 왜
하필 지금.
그때, 제하가 민석을 데리고 와 벨을 누른다.

> 다음   (씩씩하게) 나갑니다.

목소리는 씩씩하지만 표정은 어두운 다음.

#59. 정효 연구실. 밤.

280

핸드폰으로 민석이 찍어서 보내준 다음의 현장 사진을 보며
미소 짓는 정효의 모습.

#60. 삼척. 숙소 다음의 방 안. 복도. 밤.

진료를 마친 민석을 문 앞까지 배웅하는 제하.

민석   촬영이 얼마나 남았어요?
제하   몇 씬 안 남았습니다.
민석   (혼잣말로 작게) 안 될 것 같은데.
제하   네?
민석   (한숨) 우선 며칠만 있다가 병원으로 옮기죠.
제하   네. 알겠습니다. 저, 선생님.
민석   ?
제하   제가… 제가 할 수 있는 건 없을까요.
민석   …지금 충분히 하고 있어요.

민석, 제하의 어깨를 가볍게 만지고 나가는.
제하, 다음 옆으로 돌아와서 옆에 앉는. 잠든 다음을
바라보고, 링거바늘이 꽂힌 손을 조심스레 만지는. 시선을
돌리면 방 한편에 휠체어가 있고. 의아하게 보는.
휠체어 위에 캠코더가 놓여있다. 열어 보니 배터리 부족.
다음이 깰까봐 살피면서 조심조심 거실로 나가 책상 위에
충전기를 연결한다.
자리에 앉아 캠코더를 열어보는.
저장된 영상이 다음이 숙소 방 같은 앵글로 여러 개고.
하나를 눌러보는데, 다음이 〈하얀 사랑〉 속 규원의 연기
연습하는 영상. 넘어지길 수없이 반복하고, 연기하는… 그런
모습들. 제하, 캠코더 속 다음을 보다… 조용히 침실 문을   281
열고 그녀의 손에 꽂힌 바늘과 옆에 놓인 약병들… 그리고
잠든 다음을 아프게 바라보는.

Episode 11

#61. 다른 날. 삼척. 서점 안채. 마당. 밖. 낮.

촬영하기 위해 분주한 현장 분위기. 다음과 정우가 대사를 맞추고 있고.

(자신 때문에 떠나지 못하는 현상을 떠나보내기 위해 마음에도 없는 말들을 내뱉는 규원)

> 다음   현상 씨야말로 마음에도 없는 소리 하지 마.
>   솔직히 말해. 내가 아픈 게 지겹지? 지겹지
>   아주? 그러니까 가. 꺼져, (소리치는) 꺼지라고!
> 정우   규원아…!

제하, 다음과 정우에게 다가가는.

> 제하   두 분, 잠깐 얘기 좀 할 수 있을까요?

#62. 삼척 서점 인근 카페 안. 낮.

제하의 말을 기다리는 다음과 정우.

> 제하   우리 엔딩에 대해서 두 분과 얘기를 좀 하고
>   싶어서요.
> 정우   현상이가 서울로 떠나는 날을 미룰 때부터
>   느낌이 왔어요.
> 다음   (설레는 표정) 엔딩을 바꾸는 거예요?
> 제하   네. 현상이가 정화와 함께 파멸하는 결말은
>   쓰지 않으려고 합니다.
> 다음   (기대에 차서) 그럼… 원작처럼… 규원이에게
>   돌아오나요?
> 제하   맞아요. 돌아가요. 그래서 원작처럼…

규원이가 죽지 않는다면… 어떨까요?

정우, 일리 있다는 듯 끄덕이고. 다음, 기대에 찬 표정이
묘하게 굳어지는.

#63. 서점 안. 낮.
서점 바깥엔 스태프들이 분주히 철수하고 있고.
제하, 혼자 서점 안을 살피고 있는데, 들어오는 다음.

다음	감독님.
제하	오늘 촬영 끝났는데, 왜 왔어요? 숙소 들어가서 쉬어요.
다음	…규원이가 죽었으면 좋겠어요.
제하	…네?
다음	규원이가 죽었으면 좋겠다구요.
제하	죽지 않았으면 좋겠어요. 현상이 옆에서… 그렇게 살았으면 좋겠어요.
다음	감독님은 내가 안 죽었으면 좋겠으니까. 이러는 거잖아요.
제하	다음 씨도 규원이가 살길 원했던 거 아니에요? 원작처럼.

INS. **2부 21씬.**

다음	**…감독님이 만드는 〈하얀 사랑〉 결말은 원작과 같나요?**
제하	**아뇨. 결국에는, 죽겠죠.**

283

– **아쉬운 결말이란 생각에 입을 삐죽하는 다음.**

Episode 11

다음	…처음엔 그랬지만 지금은 아니에요. 규원이가 돼보니까 더더욱 규원이의 죽음을 표현하고 싶어요.
제하	어머니 초고를 보며 살고 싶다는 강한 바람을 느꼈고, 지금 다음 씨를 보는 내 마음도… 그래요.
다음	감독님.
제하	네.
다음	죽는다고 사랑이 없어져요?
제하	…!
다음	감독님이 무언가를 피하고 싶어서 결말을 고치는 거라면 피하지 마. 죽는다고 사랑이 없어지는 거면 나 너무 억울해요. 우린 규원이가 죽어도 그 사랑이 진짜라면 영원하다고 믿어야 되는 거 아니에요? 우리 영화는 그런 영화 아니에요?
제하	…!

다음, 제하를 지나쳐 가는. 제하… 다음의 말이 와 닿고…

#64. 다음날. 삼척. 숙소 로비 안. 아침.
유홍이 테이블에 커피 내려놓고 옆에 앉고, 제하, 승원이 앉아 있고.

제하	(스케줄 보며) 얼마 안 남았네.
승원	(커피 쭉 빨고) 어떻게 할 거야.
유홍	(같이 커피 쭉) 어떻게 할 거예요.
제하	(쓸쓸하게 민망하게 웃고) …

284

유홍	감독님, 배우들도 대본을 받아야 준비를 하죠.
	저희도 준비하구. 어차피 바꿀 거 알아요.
	대충 느낌만이라도 알려주세요. 준비하게.
승원	규원이는 안 죽는 거지? 원작대로.
유홍	규원이는 죽는 거 아니에요? 각색대로?
제하	고민 중이야. 시간 조금만 더 줘. 정우 씨
	스케줄 일주일만 더 빼달라고 부탁하고.
	천천히 마시고 와. (가는)
유홍	정우 배우 스케줄이면… 추가 촬영…
	하겠다는 건데…
승원	아우 헷갈려. 결말을 어떻게 한다는 거야.

#65. 삼척. 숙소 다음의 방 안. 아침.

침대에서 눈을 뜬 다음. 천천히 몸을 일으키는데 예사롭지
않고. 발을 땅에 내딛는데 힘없이 풀썩 넘어진다. 얼굴에
불안감이 스치고.

#66. 삼척. 서점 앞. 낮.

키스태프들 대기 중이고 (승원, 유홍, 철민, 진미, 조명감독,
미술감독) 제하, 준병과 통화 중.

제하	어 준병아. 금방 갈게. 응. (끊고)
승원	뭐래. 무슨 일이야.
제하	병원에… 가야 될 것 같아.
승원	(아무렇지 않게) 그래. 며칠?
제하	이틀. 사실 가봐야 알아. 죄송합니다. 병원을
	가봐야 상황을 전할 수 있을 것 같아요.
진미	우리야 휴차 생김 쉬고 좋지.

285

철민	그래요. 얼른 가 봐요. 난 인서트 좀 찍고 있을게. 찍을 거 많아.
유홍	감독님 저 믿으시죠? 저희 잘하고 있을게요.
승원	그래, 우리 걱정 말고 다녀와.

제하, 고개 숙여 인사하고, 서둘러 뛰어가는. 걱정스레
지켜보는 스태프들.

#67. 한국대병원. 다음의 병실 안. 노을 지는 저녁.

다음이 눈을 뜨면, 제하가 창가 블라인드 사이로 비치는
노을빛을 손으로 가려주고.
힘없는 얼굴이지만 미소 짓는 다음.

다음	잘 잤다.
제하	괜찮아요? 다음 씨 약 다 들어갔나 보다. 간호사 선생님 불러올까요?
다음	아니요. (제하 손을 눈에 얹는) 아직 약 다 안 들어갔어요. 아파.

제하, 안쓰럽게 보는. 이때, 정효가 문을 열고 들어서는.

#68. 한국대병원. 야외 정원. 저녁.

제하	왜 안 오셨어요. 다음 씨가 기다렸는데.
정효	자식 직장에 쫓아가는 부모, 누가 좋게 본다구.
제하	꼭 오세요. 촬영 얼마 안 남았습니다.
정효	얼마 안 남았죠…
제하	…네.

286

정효	생각보다 짧구나. 너무 금방이다.
제하	한 번도 안 보셨죠? 다음 씨가 연기하는 모습.
정효	질리게 봤어요. 이 병원에 있는 5년 동안… 혼자 카메라 놓고, 언제는 울다가 언제는 웃다가 소리도 막 지르고 누굴 죽일 듯이 베개를 잡고 어휴.
제하	(웃고) 그건 저도 봤습니다.
정효	연기할 때만큼은 다 잊으니까. 많이 웃고 행복해했어요. 난 그거면 돼요. 그렇게만 웃어준다면 그걸로 충분해요.
제하	…
정효	그걸 너무 늦게 깨달았네.
제하	…
정효	다음이의 시간을 너무 아프게만 생각하지 말고, 너무 힘들어 말고. 내가 해줄 수 있는 말이 이것밖에 없네요.
제하	…

#69. 한국대병원. 구름다리 / 병원 건너편 도로 밤.

제하, 구름다리 초입에 다다른, 전화가 울리고 보면,
다음이다.

제하	(걸으며) 여기 구름다린데… 다음 씨 안 보이는데…
다음(E)	고개 돌려봐요.

287

제하, 좌우 살피고.

다음(E)	아니, 밑에. 나 여기 있잖아요.

제하, 밑을 보면, 3부 41씬에 제하가 있던 자리에 다음이
전화하는.
제하를 보고 손을 막 흔드는.

제하	추운데 왜 밖에 나갔어요? 빨리 들어와요.
다음	싫어요. 감독님이 거기 잠깐 있어요.
제하	네?
다음	나 감독님한테 할 말 있어서. 딱 이 정도 거리에서 하고 싶어서.
제하	왜요. 무슨 얘기.
다음	나 많이 아프대요?
제하	(애써 웃고) 아니요.
다음	아빠가 슬퍼해요?
제하	다음 씨가 이렇게 예쁘게 웃잖아요. 그거면 된다고 하셨어요.
다음	(미소 짓고) 이렇게?
제하	응. 그렇게.
다음	여기서 저 위를 바라보니까 알겠어요. 이렇게 손을 흔들어주는 사람이 더 슬프고 더 많이 아플 것 같아요.
제하	(뭔가 울컥 올라오지만)… 그게 갑자기 무슨 말이에요.
다음	시간이 많이 흘러서 이 유리창 너머 규원이가 보이지 않아도 현상이는 너무 오랫동안 여기 서있지 않았으면 좋겠어요.
제하	(깊은 동요) 다음 씨.

288

다음	나한테 허락된 시간이 얼마 없어요.
제하	…
다음	그러니까 우리, 연습해요.

쌓아둔 둑이 터지듯 참아온 눈물이 흐르는 제하.
끊지 않은 핸드폰을 들고 다음에게 달려가는.

#70. 한국대병원 앞. 거리. 밤.

다음에게 달려오는 제하. 건너편 횡단보도에서 다시
핸드폰을 들고.

제하	무슨 연습.
다음	아프지 않게… 너무 많이 아프지 않게 작별하는 연습.

전화를 끊고 성큼 성큼 횡단보도를 건너 다음에게 걸어가는
제하.
다음 두어 걸음 앞에 선 제하.

제하	나도 하고 싶은 말 있어요.

한 걸음, 두 걸음. 다음 앞으로 가까이 다가선 제하.

제하	난 이 정도 거리에서 하고 싶어요.
다음	(울먹이며, 보고)
제하	사랑해. 이다음.

289

애써 울먹이며 참은 눈물이 흐르는 다음. 삼켜지지 않는

눈물을 흘리는 제하.
다음이 제하에게 팔을 벌리고, 제하 다가가 안고.
다음, 제하를 꼭 안고 있다가 풀고 제하 얼굴을 보며,

　　　다음　　　사랑해. 이제하.

텅 빈 거리에 덩그러니 서로를 미소 지은 채 바라보는
두 사람의 모습에서.

엔딩.

290

Episode 12

영화의 결말을 함께 완성하는 두 사람.
마침내, 〈하얀 사랑〉의 마지막 촬영이 시작된다.

#1. 극장 매점. 안. 낮.

매점에서 점원이 팝콘과 콜라를 내민다. 기다리던 다음이
받으려는데, 뒤에서 제하가 나타나 대신 들고. 북적이는
사람들이 보이고.
기대감에 서로를 바라보며 웃는 다음과 제하.

#2. 영화관 안. 낮.

아무도 없이 텅 빈. 가운데에 위치한 좌석에 나란히 앉은
제하와 다음.
머쓱한 둘의 얼굴. 웃음기가 가신.

>   제하   (괜히 시계 보고) 관을 잘못 들어왔나.
>   다음   감독님, 걱정돼요?
>   제하   (초조한, 자세 고쳐 앉고) 걱정은… 팝콘
>   먹어요.

제하, 다음에게 팝콘 먹여주는. 우적우적 팝콘 먹는 다음.
저 멀리서 재잘거리는 소리가 들린다.
여고생 두 명이 들어오는. 얼굴에 미소가 드리워지는 제하와
다음.

>   제하   아, 이제 들어오시나 보다.

여고생들 이후로 아무도 안 들어온다.
제하, 초조한, 어쩔 줄 모르겠는 얼굴.

>   다음   (장난기 가득한 얼굴) 걱정되는구만 뭘.

292

CUT TO.

영화 속 자신의 연기를 보는 다음. 집중해 막 찡그리다, 울다,
웃는.

그런 다음의 눈을 바라보는 제하. 영화보다 재밌는 다음이
구경. 픽 웃고, 영화를 보는.

CUT TO.

영화가 끝나고.

크디큰 상영관 속 관객은 겨우 네 명.

여고생들의 말소리가 들린다.

> 여고생1   야 일어나.
> 여고생2   나 진짜 영화관에서 처음 잠. 완전 수면제.

여고생들이 일어나 나가고.

일어나지 못하고 앉아 있는 제하와 다음.

> 제하   우리… 망했나 봐요. (괴로워지는)
> 다음   (깔깔 웃으며) 왜 우리로 묶어요. 나는
>   아니지. 감독님만 망했지.
> 제하   어어? 치사하게 여기서 발을 빼요? 다음
>   씨가 나 책임져야지.
> 다음   감독님 하는 거 보고.

웃는 제하와 다음의 모습.   293

– 타이틀, 〈우리영화〉 –

#3. 한국대병원. 다음의 병실 안. 밤.

제하, 다음의 병실 벽면에 붙어있는 포스트잇을 보고 있다.
다음의 손글씨로 보이는 글귀가 쓰여 있다. 〈**살자. 지금을 살자.**〉
그때, 다음이 병실 안 화장실에서 나오는. 간단히 씻고 나온 듯.
제하, 돌아보면 다음이 다가와 제하를 꼭 끌어안는다.
제하, 다음의 살짝 젖은 옆머리를 넘겨주는.

제하	다음 씨가 많이 아픈 날에, 그래서 마음이 많이 힘든 날에는 다음 씨가 좋아하는 영화를 같이 보고 싶어요. 그 두 시간 동안 아픈 걸 잠깐이라도 잊을 수 있게.
다음	…좋다.
제하	우린 아무 일도 일어나지 않을 것처럼… 다 잊고 지낼 수는 없어요. 그럼에도 행복해질 수 있어요. 지금처럼.
다음	(끄덕이는)
제하	작별하는 연습. 우리 그런 거 하지 마요.
다음	(아프게 보고) …
제하	지금 이 순간이 너무 아까워요. 그렇지 않아요?
다음	(가만 보다 끄덕이는) …
제하	지금 내 앞에 이다음. 이다음과 만드는 영화, 이다음과 할 사랑. 그것만 하기도 벅차요.
다음	감독님.
제하	응.
다음	(떨리는) 그럼…
제하	?
다음	내 옆에 있어줘요.
제하	…

294

다음	내가 이렇게… 웃지 않는 날에도. 도망가지 말고.
제하	안 도망가. 갈 데도 없어.
다음	나… 지금 당장 행복해질래요. 지금 당장 실컷 사랑할래요.
제하	이제 이다음 같네.
다음	(웃는다)

제하, 노트북을 꺼낸다. 펼치면서,

제하	다음 씨…
다음	응?
제하	우리 영화 결말… 지금 느낌으로… 같이 써볼래요?
다음	지금 느낌…
제하	네… 다음 씨와 내가 느끼는 지금 기분으로…

다음, 잠시 제하를 보다 고개를 끄덕인다. 서로를 믿음으로 보는 두 사람의 모습에서.

#4. 삼척. 서점 안. 낮.

수정된 시나리오의 결말 부분을 읽는 유홍, 다 읽었다. 옆에 승원도 다 읽었다. 의식하지 않으려 하지만 이들의 표정을 살피는 제하.

295

유홍	(가만 생각하다, 코가 시큰 울컥하는) 아이씨.
승원	에라이. 나쁜 새끼.

제하	왜 욕을 해.
승원	네가 이렇게 써놨는데 내가 신이 안 나냐. 아 가만있어봐. 내년 영화제, 어, 해외 영화제까지 출품해보자. 돈 욕심은 안 나도 상 욕심은 난다.
제하	(맘 놓여 옅게 웃고) 그럼 이렇게 찍을게.
유홍	(훌쩍이다 무언가 홀린 듯) 감독님.
제하	응?
유홍	감독하면 뭐가 좋아요? 하나만 얘기해 주세요.
제하	…좋은 거? 좋은 거라…
유홍	역시 없군요. 더 매력 있어.
승원	쟤 뭐래니.
유홍	(기운 나는! 서둘러 가는) 준비하러 가보겠습니다!
승원	해보자. 예산 오버하지 않는 선에선 간도 쓸개도 다 빼줄게.

#5. 삼척. 숙소 로비 안. 낮.

다음이 먹을 도시락을 들고 숙소 로비로 들어오는 준병.
로비 소파에 있던 서영이 준병을 발견하고.

서영	준병 씨!
준병	어? 네…
서영	(도시락 보고) 다음 씨 왔죠?
준병	네. 아까 도착해서 숙소에서 쉬고 있을 거예요.
서영	그거 내가 배달 가도 되나?

296

준병	(건네주며) 그럼요! 다음이가 엄청
	좋아하겠다.
서영	(웃으며) 그래요? 근데 이거 뭐예요?
준병	아, 요새 소화를 잘 못하는 것 같아서
	전복죽이요. 시내 맛집 가서 사 온
	거예요. 같이 드세요. 아, 이것도, (보온병)
	부탁드립니다!
서영	…좋은 매니저네요.

준병, 머쓱하게 긁적이며 웃는.

#6. 삼척. 다음의 숙소 안. 낮.

테이블에 도시락을 펼쳐 놓고 세팅하는 서영. 그런 서영을
바라보는 다음.

| 다음 | 감사합니다. 선배님. 잘 먹겠습니다! |
| 서영 | 난 배달만 한 건데 뭐. |

서영, 한입 덜어 먹는다.

다음	어. 선배님, 탄수화물…
서영	(한 입 먹고) 나 이제 먹어. 이 맛있는 걸
	언제까지 안 먹어.
다음	(웃으며) 선배님 잘 먹는 모습… 보기 좋아요.
서영	(죽을 먹다가 아무렇지 않게) …나 정우 씨랑
	헤어졌어.
다음	!
서영	조금의 외로움도 느끼기 싫었어. 외로움에

297

빠져 허우적대는 게 무서웠거든. 그래서…
정우 씨를 이용했던 것 같아. 솔직하게
인정하는 데까지 시간이 너무 오래 걸렸어.

다음   …

서영   외로운 게 뭐라고. 사람 다 외로운 건데. 다른
사람 상처 주면서 도망친 거야… 그게 결국
다 내 상처가 되는 건지도 모르고.

다음   선배님…

서영   근데… 한번 빠져보려고. 얼마나 외로운지 푹
빠져서 허우적 대보려고. 그래야 빠져나오는
법을 알 수 있지 않을까?

다음   선배님은 잘 헤엄칠 수 있을 거예요. 언제든
다시 그 두려움에 빠져도 유유히. 자유롭게.

서영   (웃고) 그럴까?

다음   (웃으며) 그럼요. 저를 믿어 보세요.

서영   다음 씨… 지금 뭔가…

다음   네?

서영   (미소 지으며) 되게 믿음직스러웠어.

다음   (환하게 웃는다)

웃으며 밥 먹는 두 사람.

#7. 삼척. 서점 앞. 낮.

정우가 서점 앞에 털썩 앉아 감이 안 잡힌다는 얼굴을 하고
있고. 제하, 그 옆에 다가가 앉는다.

제하   이 씬 저도 많이 어렵네요.

정우   결국 현상이는 규원이 없이 살아가네요.

제하	궁금했어요. 현상이가 규원이 없는 세상을 어떻게 살아갈지.
정우	눈물이… 날 것 같은데. 담담하게… 안될 것 같은데…
제하	아뇨. 우리 울지 말죠. 울지 말고 찍어 봐요.
정우	규원이랑 추억으로 가득한 이곳에서 현상이는 정말 혼자… 괜찮을까요.
제하	안 괜찮을 거예요. 그래도… 어떤 사랑은 평생 붙잡고 있어도 괜찮지 않을까요. 어쩌면 그게 살아갈 힘을 주기도 할 것 같은데.
정우	(옅게 끄덕이고, 제하 물끄러미 보다) 잘 먹고, 잘 자고, 가끔 울고… 그렇게 말이죠?
제하	그러다 보면 어느 순간, 그냥 같이 살아가고 있는 거죠. 기억 속에서.
정우	(머릿속이 정리된 듯) 한번 해보겠습니다.
제하	… (웃으며) 그럼. 가 볼까요?

#8. 삼척. 숙소 앞. 밖. 낮.

숙소 입구 앞. 따뜻하게 무장한 다음이 민석과 함께 앉아 있다. 다음이 핫팩으로 손을 계속 덥히고.

민석	너 바람 쐬고 싶은 게 아니라 이감독 기다리는 거지?
다음	들켰다… (목 쭉 빼서 두리번) 왜 이렇게 안 오지.
민석	그렇게 좋냐.
다음	(웃다가) 선생님.
민석	응.

299

Episode 12

다음	울 아빠 왜 안 와요?
민석	서운해?
다음	…그냥. 나 영화 찍는 거 봤으면 좋겠는데.
민석	나중에 영화로 나오면 그때 보면 되잖아.
다음	…(대답 없이 웃어 보이고)
민석	그때 같이 보면 돼.
다음	…

저 멀리서 사람들의 인기척이 들리고, 고개 들어보면
스태프들과 함께 걸어오는 제하가 보인다. 다음, 일어나 밝게
웃으며 손을 마구 흔들고. 제하, 다음에게 달려가는.
뒤에 있던 스태프들. 머쓱해하다… 휙, 일제히 방향 튼다.

진미	소주 땡긴다.
승원	밥 먹고 들어가자.
철민	저기 저 바닷가 쪽으로 나가서 먹고 들어오죠.
유홍	자 갑시다.

민석, 제하와 목인사하고 스태프들 쪽으로 가고,
다음 앞에 다다른 제하.

다음	어? 왜 다 그냥 가시지!
제하	나 기다렸어요?
다음	(손 잡아주는) 응! 내 손 엄청 따뜻하죠.
제하	(손 점퍼 주머니에 넣는) 핫팩이 따로 없네.

300

걸어가는 제하와 다음.

#9. 삼척. 작은 횟집 안. 저녁.

옹기종기 모여 있는 스태프들. 승원, 유홍, 철민, 진미, 조명감독, 미술감독.

문 열고 준병과 민석이 함께 들어온다. 사람들 자리 마련해주고.

<blockquote>유홍   여기 잔 두 개만 더 주세요!</blockquote>

유홍, 수저 챙겨주면, 준병, 좋고, 부끄러운.

<blockquote>진미   (유심히 보는) 참 사람 잘 챙겨. 우리 조감독님은.

유홍   제가요?

진미   특히 준병 씨를 은근 잘 챙겨주더라고.

유홍   네?! 제가 무슨! 실장님도 촬영감독님 엄청
          챙겨주시잖아요! 똑같은 거지 뭐!</blockquote>

사레들린 철민. 물 건네주려다가 그냥 마셔버리는 진미.

<blockquote>민석   아! 내가 눈치가 없었네. 자리 바꿉시다. 바꿔
          바꿔.</blockquote>

얼떨떨하게 유홍 옆자리로 간 준병. 민망하고. 싫지 않은.

<blockquote>승원   자, 오늘도 고생 많았습니다. 잔 채우시고.</blockquote>

이때, 가게 문을 열고 들어오는 제하와 다음.   301
시끌벅적했던 스태프들 얼음 되고. 제하와 다음도 멈추는.

<blockquote>다음   하하. 왜 저희만 빼놓고.</blockquote>

승원	왜겠어. 감독이 뒤도 안 돌아보고 다음 씨한테 뛰어가는데, 우리는 소주를 깔 수밖에 없었어.
제하	(웃고) 그래도 왕따 시키진 말자. 다음 씨 이리 와요.

자리에 앉는 제하와 다음.

CUT TO.

즐거운 식사자리. 스태프들의 잔 부딪히고. 다음과 제하, 콜라와 사이다로 건배하고. 철민이 민석에게 술 따라주려고 하면, 민석이 손으로 정중하게 놉하고, 다음을 가리키는. 철민이 아하~ 하는. 승원 무언가 열변 토하는 모습, 제하 무언가 진지하게 얘기하는 모습. 다음, 조명감독이 보여주는 딸 사진보고 귀여워하는 모습, 계속되는 얘기들. 무르익는 분위기. 그런 모습들…

#10. 삼척. 작은 횟집 앞. 밖. 밤.

모여 있던 사람들 전부 우르르 나오는. 제하와 다음도 나오는. 다들 취해서 왁자지껄 떠드는데, 그런 사람들 보고 웃고 있는 다음. 제하가 다음을 본다. 빠지자고 눈치 주듯.

#11. 삼척. 서점 안. 밤.

제하, 다음의 손을 잡고 서점 문을 열고 들어온다. 캄캄하다. 제하, 책장 깊숙이 들어가 작은 랜턴에 불을 켠다. 다음은 제하 따라가고.

캄캄한 서점 안 쪽이 작은 빛으로 노랗게 물들고. 제하, 다음 마주 보는.

302

제하	혹시나. 불 다 켜면 누가 방해할까 봐.
다음	그런 깊은 뜻이… 좋은데요? (한참 바라보다 시선 돌려 곳곳을 둘러보는)
제하	뭐 필요해요?
다음	아니. 그냥… 보는 거예요.
제하	(시선 따라 같이 둘러본다)
다음	너무 좋은 책을 만나면 괜히 아쉬워요. 마지막 장이 얼마나 남았나 자꾸 확인하고 괜히 아껴 읽고… 지금 딱 그런 기분이에요. 마지막 촬영이 진짜 온다니까… 이상해.
제하	우리 아껴 읽지 말고 끝까지 읽어요. 그렇게 마지막 장이 끝나면 다시 재밌게 읽을 다음 이야기를 또 찾는 거죠.
다음	그러네… (웃고) 그렇게 생각하면… 되겠다.
제하	처음 만났을 땐 그 패기 있는 모습 언제까지 가나 보자 싶었는데, 안 지쳐. 다음 씨는 진짜 끝까지 가더라고. 아, 나 멀었다. 사람 함부로 판단하면 이렇게 큰 코 다치는 거구나.
다음	(웃고) 내가 말했잖아요 나 이 영화 끝까지 찍을 거라고.
제하	…여기까지 오느라 많이 힘들었죠?
다음	…내가 힘들고 아플 수 있어서, 울퉁불퉁한 비포장도로여서… 무지 행복해요.

따뜻하게 바라보는 제하의 시선… 마주친 다음의 시선도
깊어지는데…
밖에서 스태프들이 지나가는 소리가 들리고!
놀란 다음이 랜턴 불을 확 줄이는. 소리가 그대로 지나가고.

Episode 12

제하	(웃으며) 왜 그래요.
다음	쉿. 쉿.

다음, 갑자기 쪽. 제하에게 입 맞추는. 그러다 깊어지는 키스.
둘의 모습에서…

#12. 다음날. 삼척. 서점 앞. 낮.
촬영 준비 중이고, 대기 의자에 나란히 앉은 현철과 다음.
따뜻한 겨울의 볕을 느끼는.

현철	햇빛이 오늘따라 참 우리 규원이 같다.
다음	(올려다보는. 아름답고)
현철	촬영 시작할 즈음 병원에 갔더니 암이 재발을 했다 그러더라구.
다음	(놀라서) 네?
현철	다시 살게 된 삶이니 아내한테 못 해준 거 다 갚고 살아야겠다했는데, 그것도 얼마 안 남은 것 같아.
다음	그게… 무슨 말씀이세요…
현철	나 죽나. 진짜 죽나. 계속 죽는 생각만 하는 거야. 그때 우리 규원이를 만났지. 아, 저렇게 살면 되는구나. 내가 규원이 보면서 배웠어. 주어진 하루를 나는 그냥 살면 되는 거구나.
다음	(뭉클해서, 현철의 손을 꼭 잡는) …맞아요. 뻔뻔하게.
현철	그래. 뻔뻔하게. 이 따뜻한 햇빛 반짝이는 거 보면서. 오늘 하루, 따뜻하게.
유홍	(다가와서) 준비 다 됐습니다.

304

현철	가자, 딸.
다음	(먹먹하지만, 웃으면서 따라가는) 네. 아빠.

#13. 삼척. 분장차 안. 낮.
앉아서 진미에게 분장을 받고 있는 다음.

진미	눈 떠봐. 위로. 자, 됐다. 어때? 오늘도 예쁘게 아프지.
다음	(거울로 천천히 자신을 바라보고, 웃고, 끄덕이는) 와. 실장님. 어떻게 하는 거예요? 아픈데 예뻐. 예쁜데 아파. 우리 실장님 실력 진짜 최고. (막 웃는)

이때, 준병이 뛰어들어오고,

준병	다음아! 오셨어!

다음, 놀라고 긴장된 얼굴로 돌아보는.

#14. 삼척. 서점 앞. 낮.
다음이 분장버스에서 내려 서점 쪽으로 걸어가면 제하가
정효와 미선을 데리고 스태프들, 배우들과 인사시키고
있는 모습. 현철과 악수하는 정효. 옆에 졸졸 따라다니는
교영까지. 보자마자 울컥하는 다음.

305

다음	아빠!

현철과 정효, 둘이 동시에 다음을 쳐다본다. 환하게 미소

지으며 손을 흔드는 현철과 정효. 두 아빠들을 보면서 벅찬
웃음을 짓는 다음.

#15. 삼척. 바닷가. 낮.
정우가 현상을 연기하며 규원을 찾아 뛰어다니는 씬을
촬영하고 있고, 그 모습을 멀찍이 떨어져 다음과 정효가 함께
보고 있다.

다음	빨리 좀 오라니까 왜 이렇게 늦게 왔어.
정효	궁금은 한데… 아빠두 처음 보는 거니까
	떨려서…
다음	하필이면 촬영 마지막 날… 그것도 죽는 씬
	찍는 날 오냐구.
정효	…
다음	아빠.
정효	응.
다음	요샌 약이 잘 안 들어. 그래서… 나 진통제
	안 먹었어.
정효	(놀라고)
다음	이것만 찍고 먹을게. 알잖아. 엄청 멍해지는 거.
정효	(끄덕이고) 다음아. 괜찮아. 아빠 왔잖아.
	아빠가 보고 있어.
다음	(울컥하는) 응.
정효	할 수 있어. 그거 안 먹는다고 안 죽어.
	걱정하지 마. 너 아직 괜찮아. 아빠 믿어.
다음	(숨 쉬는) …미안해.
정효	야… 아빠 영화 촬영 처음 구경해봐. 우리 딸
	덕분에 호강한다.

306

다음	(멀리서 다음을 찾는 손길 보이고) 가야겠다.
정효	응. (손 흔들어주고, 웃는)

#16. 삼척. 바닷가. 낮.

바닷가 앞에서 앉아 있는 제하와 다음. 다음이 후–하고
길게 심호흡하면, 제하도 따라서 후– 길게 심호흡한다. 짧은
침묵과 동시에 웃음 터지고. 바다를 보면 날씨가 좋다.

다음	날씨 뭐야. 이런 날 파도도 좀 심하게 치고,
	갈매기도 막 울어 주고 그래야지.
제하	(피식 웃고) …

다음, 옆에 놓인 시나리오에 끼워진 메모장을 꺼내 본다.
'여기서 울지 않기', '너무 진부한 대사', '기억한다면…'
'마음에 사는 것' 등 두 사람이 끄적인 메모들이 쓰여 있다.
마지막 장면을 함께 만들며 적은 메모.

다음	(시나리오를 바라보다가) 이 결말 난 마음에
	들어요.
제하	나도요. 완벽하지 않아서 더 특별한… 꽤
	괜찮은 영화가 될 것 같아요.
다음	끝난다고 해도 어쩐지 계속 이어질 것 같아요.
	그래서 이상하게 자꾸 보고 싶어질 것 같아.

제하와 다음, 들어오는 파도를 잠시 말없이 바라본다.   307

다음	현상이가 규원이를 기억하는 한 규원이는
	사라지지 않는 거 맞죠?

제하	응. 현상이가 기억하는 한 그 사랑은 사라지지 않아요.
다음	(작게) 내가 기어코 이 영화에 사랑을 넣겠다고 했던 거 기억나요? 성공했어…
제하	그러게. 기어코 해냈네.

서로를 보고 미소 짓는 두 사람. 다음, 일어나며,

다음	…감독님.
제하	응.
다음	내가 다시 눈을 뜰 때까지 컷하지 말고 기다려줄 수 있어요?
제하	…그럴게요.

제하, 바람에 흔들리는 다음의 머리칼을 넘겨주고,

다음	가요. 마지막 씬 찍으러.
제하	그럼. 자, 준비하겠습니다!

다음, 입고 있던 점퍼를 벗어두고 세팅된 자리로 가는. 스태프들 각자 집중하고 있고, 철민, 울컥한 듯하지만 가다듬고 집중한다. 화면을 보는 제하, 먹먹하게 다음을 바라보다 헤드셋을 끼고 집중한다. 정효와 민석, 미선, 교영, 준병도 먼발치서 조마조마한 얼굴로 보고 있다. 승원을 포함해, 마지막 촬영이라 찾아온 서영, 고대표, 재인, 민희까지 모두 〈하얀 사랑〉의 마지막 촬영을 지켜보고 있다.

308

다음, 심호흡을 하고, 잠시 마음을 가다듬고, 카메라 렌즈
쪽을 보고 오케이 사인을 주는.
표정이 달라지며 몰입하는.

> 유홍   〈하얀 사랑〉 마지막 촬영. 씬 넘버 117.
>   테이크 원.

슬레이트 마찰음이 들린다.

> 제하   레디. 액션.

#17. 삼척. 바닷가. 낮.

제하, 모니터 화면으로 현상(정우)과 규원(다음)을 보고 있다.
현상의 품에 안긴 채 파도를 바라보며 대사하는 규원.
눈을 천천히 떠 하늘의 따가운 볕을 간신히 본다.

> 규원   현상 씨.
> 현상   (울컥 올라오는 걸 누르며) 응.
> 규원   들려요? …끝도 없이 부서지는 소리.
> 현상   응. 들려…

이어지는 파도 소리 귀 기울이고… 현상(정우)의 모습이
지금의 제하로 바뀐다.
(영화 속 현상의 모습이 아닌 현실 속 제하의 모습)

309

> 다음   이제하는 행복해질 수 있는 사람이란 걸 꼭
>   알려주고 싶었어…
> 제하   알아… 나는 행복해질 수 있어… 다음 씨가

	알려줬잖아.
다음	제하 씨의 시간을 살아줘. 아주 행복하고, 충실하게.
제하	…
다음	내가… 여기… 머물러 있을게. 제하 씨 마음… 그리고 이 바다에도…
제하	…응. 다음 씨는 여기 있는 거야.

제하에게 기댄 다음, 편해진 얼굴로 파도 보며

다음	나는 이렇게 부서지고 다시 생기고, 부서지고 다시 생길 거니까…

다음, 웃으며 서서히 눈이 감긴다.
다음 옆의 제하는 정우로 변하고. 모니터를 보고 있는 제하.
그 짧은 찰나, 제하, 얼굴에 불안이 스치고.
다음, 여전히 감은 눈이 떠지지 않는.
철민, 모니터에 집중한 채, 긴장된 얼굴.
지켜보는 사람들의 얼굴에도 걱정이 드리우고.
유홍, 아무래도 안 되겠는지 다음에게 다가가려는데, 이를
제하가 제지한다.
제하, 불안하지만 다음을 믿고 기다린다…
불안한 얼굴로 바라보는 정효와 민석, 교영과 미선.
감은 눈을 뜨지 않는 다음…

310

#18. 다음의 상상. 드넓은 꽃밭. 낮.
사방이 노란 유채꽃 군데군데 보랏빛 알리움 꽃이 섞여 있는
꽃밭.

다음이 주변을 두리번거리는데 뒤에서 소리가 난다.
돌아보면, 엄마다.

> 다음 모　니네 아빠 말이야. 네 앞에선 괜찮은 척
> 씩씩한 척해도 얼마나 겁이 많고 눈물이
> 많은지 너 모르지?
>
> 다음　아는데. 아빠 맨날 숨어서 울다가 나한테
> 많이 걸렸어.
>
> 다음 모　그러니까. 내가 그게 제일 걱정이었어. 네
> 아빠 어떡하지. 하구.
>
> 다음　그래두 울 아빠 괜찮은 척, 씩씩한 척 많이
> 하다보니까 진짜루 씩씩해졌어. 그러니까…
> 엄마 너무 걱정 안 해도 돼.
>
> 다음 모　(환하게 웃는) 다행이다.
>
> 다음　엄마는 안 무서웠어? 떠날 때.
>
> 다음 모　몰라. 그게 무서운 건지, 아픈 건지, 행복한
> 건지 잘 모르겠네. 그 모든 걸 다 합친 그런
> 느낌?
>
> 다음　(끄덕이고) …나 엄마 엄청 보고 싶었는데.
> 아직도 선명하고… 아직도… 슬퍼.
>
> 다음 모　엄마 알아. 다음이가 보고 싶어 한 거.
> 슬퍼하는 거. 다 느껴져.
>
> 다음　다 느껴져?
>
> 다음 모　(다음이 손을 가슴에 가져다대고) 다. 전부 다.
>
> 다음　엄마 다 아는구나. 모르면 서운할 뻔했는데.　311
>
> 다음 모　다음이는 어때? 무서워?
>
> 다음　내 결말은 내가 만들고 싶었다? 그랬더니
> 사랑하는 일도 생기고 사랑하는 사람도…

Episode 12

생겼어. 근데 놓아줘야 할 시간이 다가오는 게
느껴지니까… 응. 나 무서워…

다음 모　　다음아.

다음　　　…응?

다음 모가 다음의 손을 꼭 잡아주는.

#19. 삼척. 바닷가. 낮.

미동도 없던 다음… 마침내 눈을 뜬다.

INS. **12부 18씬과 연결.**

다음 모　　**너무 무서워하지 마.**

다음　　　**…응.**

제하, 나지막이 외친다.

제하　　　컷.

다음이 정우의 도움으로 몸을 일으켜 스태프들을 바라보며 웃는.
숨죽였던 모든 이들의 얼굴에 웃음이 피고. 철민, 눈시울이
붉어진 채, 다음을 바라보고 엄지 척 해주는.

제하　　　(작게) 오케이.

유홍　　　(울컥한 채로) 오케이 컷입니다. 그동안
　　　　　고생하셨습니다! 끝났습니다!

스태프들, 전부 박수치며 환호하고. 준병, 다음 앞에서 펑펑 운다.
다음, 안아주고. 그렇게 퍼진 눈물 바이러스. 다들 눈시울이

붉어진다.
제하, 눈앞에 펼쳐진 모든 풍경을 바라본다.
다음이 주변으로 모여드는 사람들 속으로 걸어간다.
모든 이들, 제하를 보고.

　　　제하　　　(고개 숙여) 고맙습니다.

제하, 천천히 스태프들 사이로 다음에게 다가간다.
제하와 다음. 오직 서로만 보이는 듯 한참을 바라본다.
웃는다.

#20. 다른 날. 다음의 본가 아파트 안. 노을빛.
오렌지 빛 노을이 거실을 가득 채운다.
다음, 소파에 누워 달콤한 낮잠을 자고 있고.
정효, 애호박을 썰어 찌개에 넣고, 식탁 위에 펼쳐진 집밥.
찌개를 내려놓고.

　　　정효　　　이다음. 밥 먹자.

다음, 잠에서 깨고. 개운한 듯 기지개를 켜며 정효를
바라보고 웃는.

#21. 편집실 안. 밤.
캄캄한 편집실 안. 편집감독과 앉아서 모니터를 보고 있는
제하.　　　　　　　　　　　　　　　　　　　　　313
커피가 떨어진 듯 편집감독이 일어나 나가고, 모니터 속
다음의 연기를 바라보다…
다음이 해맑게 웃고 있는 모습에서 키를 눌러 재생을 멈추는.

Episode 12

#22. 편집실 건물 베란다 발코니. 밤. / 정효의 본가 방 안. 밤.

다음에게 전화를 거는 제하.

제하	보고 싶어요.
다음	(웃음 참아보려 애쓰는) 나도.
제하	밥 먹었어요?
다음	먹었어요. 근데 소화가 잘 안돼서 많이는 못 먹었어요. (시계 보고) 좀 이따 또 먹어야 돼요.
제하	또 억지로 먹고 토하지 말고. 조금씩 자주.
다음	응. 오늘도 밤새요?
제하	아뇨. 일찍 마무리하고 자야죠. 내일 중요한 일이 있어서.
다음	마음 단단히 먹어야 돼요.
제하	단단히 먹고 있어요.
다음	(웃으며) 내일 봐요. 너무 보고 싶어도 좀 참고.

제하, 웃고 끊는.
바깥 풍경을 보고, 차가운 바람을 깊이 들이키는.

#23. 정효의 본가 방 안. 밤.

다음, 정효의 방문을 조심스레 연다.
잠들어 있는 정효 옆으로 다가가 눕는다.
정효의 등에 이마를 대고 아빠 냄새를 맡는.
그러다… 눈물이 콧등을 타고 흐르는. 소리 내지 않으려
애쓰며 눈물을 닦고…
정효에게 이불을 덮어주는 다음.

314

#24. 다음날. 정효의 본가 거실 안. 낮.

정효가 현관문을 열어주면, 제하가 서 있다.

CUT TO.

소파 양 끝단에 앉아 있는 제하와 정효. 어색하다. 눈이라도
마주치면 머쓱하게 웃고.
방 안에서 다음이 "금방 나가요" 소리 들리고.

> 정효   아주 아침부터 난리 난리를… 도대체 뭘
>   하려구.
> 제하   아… (피식 웃고) 데이트… 합니다.
> 정효   (웃기고 좋고, 리모콘으로 괜히 티비 트는)

이때, 다음이 방문 열고 나온다. 엄청 멋 부린 다음.
정효와 제하 둘 다 끔뻑끔뻑 쳐다보고. 다음이 뿌듯하게 포즈
취하는.

> 제하   엄청 예쁘네요. 오늘.

#25. 서울. 도심 거리. 밖. 낮.

다정하게 도심 거리를 걷는 다음과 제하.

#26. 평양냉면집. 안. 낮.

다음이 평양냉면 한 젓가락 후루룩 먹고, 이게 무슨 맛인가
표정을 짓는.   315
제하, 마냥 귀엽고. 다음이 식초에 양념장을 넣으려는 걸 막고.
다음은 그 손을 막고. 투닥대는 둘의 모습.

#27. 카페 안. 낮.

창가 자리에 나란히 앉아 커피를 마시는 다음과 제하.
한낮의 여유를 느끼는.

#28. 셀프 사진관 안. 낮.

셀프 스튜디오 안에서 셔터를 쥔 채 어색하게 나란히 앉아
있는 다음과 제하.

제하	(셔터 만지작)…
다음	맨날 카메라 뒤에만 있는 감독님, 앞에 좀 세우고 싶어서.
제하	나 이런 거 어색한데…
다음	(옷깃 만져주고, 머리 만져주고)
제하	좀… 부끄럽기도 하고.
다음	(짓궂게) 견뎌요.
제하	(웃고) 알았어요.
다음	자 앞에 보고, 렌즈 보고.

얼어있는 제하. 혼자 웃고 있는 다음. 몇 번 찍어보고, 결과물
모니터 보더니.

다음	…웃어야지.
제하	웃어요? 어떻게 웃지.
다음	감독님 잘생긴 얼굴을 이렇게 쓰면 안 돼요.
제하	(웃고)

316

다음, 그때 후다닥 셔터 누르고. 자연스러운 웃음이 찍히고.
손도 잡고. 팔짱도 끼고. 어깨도 두르고. 여러 가지 포즈로 찍는.

그렇게 한참을 사진 찍는 두 사람.

#29. 아트시네마 앞 거리. 밤.

<blockquote>
다음   영화 보고 나오니까 해가 졌네.

제하   그러게. 하루가 너무 짧다.
</blockquote>

이때, 다음과 제하의 핸드폰이 동시에 울린다. 다음의 식사 알람.
서로 알람 끄고.

<blockquote>
다음   오늘 하루, 아직 안 끝났어요!
</blockquote>

#30. 편의점 안. 밤.
제하와 다음이 처음 만났던 편의점. 봄기운이 완연하다.
제하, 컵라면이 아닌 즉석 봉지라면 끓이기 처음 해봤다.
알루미늄 그릇을 인덕션 위에 올려놓고 면 먼저 넣을지 스프
먼저 넣을지 고민하다 서툰 손으로 스프를 반만 넣는다.

#31. 편의점 야외 테이블. 밤.
제하가 라면을 들고 와 테이블에 놓는다. 약간 허둥지둥.
젓가락도 벗겨서 놓고. 포도주스도 따서 앞에 놓아주고.
어색하고 열심히. 다음, 그런 제하의 모습이 사랑스럽다.
다음, 포도주스를 따서 목 열고 마시는 시늉을 하려는데.

317

<blockquote>
제하   (웃으며) 아, 안 돼. 사레 걸리면 큰일 나.
             하지 마요.

다음   왜요! 이거 내 개인기인데. 감독님 전에
</blockquote>

여기에서 이거 보고 비웃었었죠? 웃지 마요.
이거 아무나 못 하는 거에요!

다음, 목 열고 꿀꺽 하다가 살짝 기침하고. 제하 웃으면서
손수건 꺼내 건네주고.

> 제하   에이… 그럴 줄 알았어. 식겠다. 먹어요.
>
> 다음   (민망) 잘 먹겠습니다! (한입 호로록. 싱겁다)
> 처음… 끓여봤나?
>
> 제하   라면은 양보하는데 스프 다 넣는 건 안 돼.
>
> 다음   라면이 담백하기 어려운데 오히려 좋다!
> (문득) …그리고 감독님하고 이런 보통의
> 데이트… 더 좋다.
>
> 제하   보통… 좋네. (웃는다)

CUT TO.
다 먹었다. 배부르고 여유로운.

> 제하   (주위를 둘러보고, 작게) 저어기, 저 남자.
> 코트 입은. 장미꽃.
>
> 다음   …? (따라서 슬쩍 보면)

제하가 가리킨 곳에, 무채색의 코트를 입은 남자가
투명비닐로 감싼 장미 한 송이를 들고 어두운 표정으로 고개
318 숙인 채 앉아 있다. 그러다 주변에 있던 쓰레기통 앞에서
잠시 고민하다 슬픈 얼굴로 장미꽃을 버리고 사라지는 남자.

> 제하   내가 보기엔… 저 꽃이 문제 같아요. 적당히

촌스럽고… 저 꽃을 주지 말아야 할
타이밍에 건넸을 확률이 높아 보여요.

다음   음… 내가 보기엔 저 남자는 꽃을 건넸다가
거절당한 게 아니라 꽃을 받은 것 같아요.
받지 말았어야 할 타이밍에…

제하   왜?

다음   망설였잖아요. 버릴까 말까. 그리고 표정도
엄청 슬퍼보였어요.

제하   그럼… 누구한테 받았을까. 여자일까?
남자일까? (몰입하는) 직업은 뭘까. 뭐였을
것 같아요?

다음   (진지) 글쎄. 왜 그 앞에서 망설였을까요.

제하   자기 자신한테 화난 것 같았는데…

다음   저 꽃을 버리고 어디로 갔을까.

제하   그 꽃을 버릴 수밖에 없도록 만든 사람에게
가지 않았을까.

진지하게 대화를 주고받던 두 사람, 뒤늦게 서로를 보며 눈이
마주치자 피식 웃어버린다.

다음   (피식 웃고) 감독님도 혼자 이러고 노는구나.
나 병원에 있을 때 밖에 보면서 혼자 막 저
사람은 어떨까 상상하면서 놀았거든요.

제하   어릴 때부터 혼자 있는 시간이 많았어요.
집에 있는 책도 금방 동이 나고, 쌓여있는
영화도 다 보고 나니까 그 다음은 이렇게
생각하고 또 생각하는 것밖에 할 게
없더라고. 그게 버릇이 됐고, 직업이 됐고.

319

Episode 12

다음	…감독님 얘기 재밌다. 어떻게 살아왔고 어떻게 살아갈까…
제하	라면 하나 제대로 못 끓이지만 다음 씨 덕분에 앞으론 맛있게 끓이려고 노력하면서 살겠죠. (웃는)

제하의 미소를 뚫어지게 쳐다보는 다음. 마주친 시선이 오래가고…

다음	상상 끝.
제하	말해줘야죠! 무슨 상상했는지.
다음	이건 나 혼자 즐기고 싶은데? 비밀이에요.

다음, 웃으며 초봄의 공원 주변, 평범한 사람들의 모습을 바라본다.

다음	(공기를 깊게 들이마시고) 좋다. 미세먼지도 좋다.

보통 사람들 틈에서 보통의 데이트를 하는 제하와 다음.
그걸 만끽하는 다음의 모습을 한참 바라보는 제하.
두 사람의 모습에서…

#32. 다른 날. 봄 풍경. 낮.

320 꽃이 피고 햇살 좋은 봄날의 풍경들.

#33. 한국대병원 다음의 병실 안. 낮.

제하가 노크하고 문을 열고 들어서는데, 병실 침대에 앉아

있던 다음과 교영이 캠코더와 트라이포드 접고 노트북을
황급히 닫으며 우당탕탕 난리가 난다.

제하   어, 교영 씨 있었네요.

교영   네? 네! 어! 저, 왜, 뭐, 무슨 일이세요?

제하   네?

교영   (뒤로 감추고) 저희 그냥 평범하게 있었어요.

제하   안 평범해 보이는데…

다음   감독님… 안녕. 오늘 교영이가 자고 가기로 해서.

제하   (픽 웃고) 나 편집하러 가야해서, 가기 전에
          얼굴 보러 왔어요. 갈게요.

다음   어… 네! 가요!

제하   (괜히 서운해서, 문고리 잡고 괜히) 가요?

다음   네! 끝나고 봐요!

제하   (시무룩해서) 알았어요. (문 닫는)

이제야 숨 쉬는 다음과 교영.

교영   아우 야!!! 너 왜 그렇게 연기를 못해!

다음   너도 완전 발연기야!!!! 말도 막 절고!!! 네가
          제일 이상해.

교영   와… 나 안 해.

다음   아씨… 하지 마. 하지 마!

귀엽게 투닥투닥 삐져있는 둘의 모습.   321

#34. 한국대병원 다음의 병실 안. 밤.
침대에 나란히 누워있는 다음과 교영. 다음이 잠든 교영을

Episode 12

바라본다.

괜히 머리카락으로 얼굴 간지럽히고, 교영 킁킁 거리다 깨는.

교영   (꿈뻑꿈뻑) 와. 여기 잠이 너무 잘 와.

다음   좁아터져. 내려가서 자.

교영   뭐가 좁아터져. 감독님이랑은 잘만 누워 있더만.

다음   (흠칫) 뭐야.

교영   뭐긴. 그냥 떠본 건데 얻어 걸린 거지. 역시 넌
      하수야.

다음   (흘기다가) 너 언제 회사 다시 나갈 거야?

교영   쉰 지 얼마 안 됐어. 몰라.

다음   결혼은 언제 할 거야?

교영   연애부터 물어봐야지.

다음   회사에서 승진하고 좀 다니다가 나중엔
      독립한다 그랬지?

교영   뭐 그렇겠지.

다음   눈이 침침해서 컴퓨터 못 보는 나이엔 뭐 할
      거야?

교영   음… 농사 지을까.

다음   애기 낳을 거야?

교영   얼씨구? 고만하지. 인생은 한 치 앞을 알 수가
      없어요.

다음   (먹먹하게 바라보며) 재밌게 살 거지?

교영   (심장이 쿵… 말 돌리려고) 졸려. 나 더 잘래.

다음   내가 그거 다 못 봐서 미안해.

교영   (흐느끼고) …

다음   그때 내가 없어서 미안해.

교영   (다음을 껴안는) …

322

#35. 다른 날. 한국대병원 구름다리. 낮.

천천히 걷는 다음과 제하.
중간쯤에 멈춰 창 너머 바깥을 바라본다. 벚꽃이 만개한.

> 제하   봄이에요. 다음 씨랑 처음 보는 봄.
> 다음   그러게. 첫눈도 같이 보고, 첫 벚꽃도 같이
>   본다.
> 제하   제대로 볼까요?
> 다음   ?…(끄덕이는)

#36. 한국대병원 앞 가로수길. 낮.

벚꽃나무 아래. 고개를 들고 흩날리는 벚꽃을 바라보는 다음.
제하, 옆에서 흐뭇하게 다음을 본다.
다음, 벚꽃을 애틋하게 눈에 가득 담는.

> 제하   하나 따 줄까요?

제하와 다음의 옆을 지나가는 꼬마 아이와 엄마.

> 아이   엄마! 나도 꽃 따줘!
> 엄마   안 돼~ 이 꽃도 소중한 생명이야. 막 따고
>   그러면 안 돼요!

지나가고. 민망한 침묵.

323

> 다음   (웃으며) 그러면 안 돼요!
> 제하   아… 네…
> 다음   (웃으며) 마음만 받을게요.

Episode 12

제하, 잠시 생각하다 바닥에 살짝 앉아 땅에 떨어져 모여 있는 벚꽃을 손으로 주워 주머니에 넣는다. 다음도 보다가 같이 앉아 벚꽃을 주머니에 넣는다.

#37. 한국대병원 다음의 병실 안. 낮.

제하와 다음. 창가 난간 위에 주머니에 넣어온 벚꽃을 한 움큼씩 꺼내 올려놓는다.
다음, 벚꽃을 손가락으로 모아 이리저리 움직여 글자를 만드는.
제하, 뭐라 적는지 옆에서 가만 본다. 글자는 안 보이고. 그리고 다음을 본다.

다음	(글자 쓰며) 환자 이다음이 아니라 영화도 찍고 사랑도 하는 이다음으로 살 수 있게 해줘서 (제하 보고) …고마워요.
제하	(먹먹히 보는) 나랑 영화도 찍고 사랑도 해줘서 고마워요.
다음	감독님.
제하	응.
다음	…마음먹은 만큼 행복해요?
제하	…음. 아니, 마음먹은 것보다 훨씬 더 크게 깊게 행복해요.
다음	나도. 누구 덕분에 나도.
제하	…(옅게 웃는)
다음	(침대 쪽으로 걸터앉아서) 피곤하다. 졸린 것 같아.
제하	오늘 날씨가 너무 좋은데. 내내 흐렸었잖아요.
다음	그럼 좀 참아야겠다.

324

다음, 일어나 제하 옆으로 간다. 어깨에 살짝 기대고. 창밖을
보며.

> 다음   바람이 이렇게 상쾌하게 부는데… 누워만
>   있을 수 없죠.

다음, 창문을 연다.
창문 밖으로 시원한 봄바람이 들어오고,
창가 위에 〈우리 영화〉라 써져있던 꽃잎들이 흩날린다.
몇몇 꽃잎은 다음의 침대 위에 떨어지고.
다음, 후 불어 꽃잎을 창문 바깥세상으로 보낸다.
바깥으로 흩날리는 꽃잎들.
제하, 눈앞에 다음을 놓치고 싶지 않아 가득 담는다…

#38. 몽타주.
– 병원 정원에서 커피를 마시는 정효와 민석 앞으로 벚꽃
   잎이 스쳐간다.
– 승원, 주차된 차 쪽으로. 쌓인 벚꽃을 본다. 하늘에서
   벚꽃이 떨어진다.
– 유홍, 카페 테라스에서 노트북으로 글을 쓰고 있다.
   꽃잎이 날아와 키보드 위에 놓인다.
– 가게 문을 여는 준병의 어깨 위에도 꽃잎이 날아와 앉는다.
– 미선의 카페로 들어온 교영, 머리카락에 꽃잎이 붙어있고,
   미선이 그 꽃잎을 본다.
– 촬영장에서 이야기 중이던 철민과 진미 주변에 꽃잎이
   날린다.
– 같은 촬영장에서 대본을 보고 있는 서영과 그 옆에서
   지켜보던 고대표에게도 꽃잎이 흩날려 떨어진다.

325

#39. 다른 날. 은애 납골당. 낮.

제하, 은애의 안치단 앞에 서있다. 가방에서 〈하얀 사랑〉
원작 초고와 제하가 쓴 시나리오, 그리고 영화 티켓을 꺼내
들고 보는.
제하가 쓴 시나리오를 후룩 넘기면 노랗게 말린 벚꽃이 여러
개 끼워져 있다.
잠시 보고. 시나리오와 티켓을 안치단 안에 넣어두는 제하.
물끄러미 본다.

> 제하   고마워요. 엄마.

제하, 돌아서는데 진여가 오고 있다. 미소를 띠며 가볍게
인사하는 제하.
진여도 인사하고. 그렇게 스치는 두 사람.

#40. 영화관 안. 낮.

2씬 이어서.
텅 빈 영화관에서 일어나지 못하고 앉아 있는 제하와 다음.

> 제하   우리… 망했나 봐요. (괴로워지는)
> 다음   (깔깔 웃으며) 왜 우리로 묶어요. 나는
>   아니지. 감독님만 망했지.
> 제하   어어? 치사하게 여기서 발을 빼요? 다음
>   씨가 나 책임져야지.
> 다음   감독님 하는 거 보고.
> 제하   (서운해서) 감독님 하는 거 보고? 너무하네.

제하의 말이 안 들리는 다음, 크레딧에 적힌 자기 이름을

326

보고 있다.

〈원작 유은애〉

〈각색 이제하 이다음〉

다음, 이름들을 보고 뭉클하다. 고개 획 돌려, 들뜬 미소 짓고.

> 다음   내가 있네요? 왜… 내가 있어요?
>
> 제하   까먹었어요? 우리 같이 썼잖아요. 각색
>
>   이다음. 이제 발 못 빼요.
>
> 다음   모른 척 빠지려고 했는데 그것도 안 되겠네.

제하, 살짝 고개 숙여 픽 웃고, 고개를 돌려 다음을
바라보는데…
옆에 다음이 없다. 빈 자리.
한창 영화 상영 중이다. 화면 가득 다음이 있다.
객석은 제하 옆자리만 제외하고 관객으로 가득 들어 차있다.
그 한가운데 제하. 덤덤히 영화를 본다.

CUT TO.
어느덧 엔딩 크레딧은 올라가지만, 대부분의 관객들은
여운으로 일어서지 못하는데, 건조한 표정의 제하가 서서히
일어나 혼자서 유유히 상영관을 빠져 나온다.

#41. 영화관 상영관 앞 복도. 낮.   327

덤덤히 걸어 나오던 제하.
복도 구석 한편, 제하 앞에 붙어있는 다음의 원샷으로
만들어진 〈하얀 사랑〉 포스터. 제하, 포스터 속 다음의 눈을

Episode 12

물끄러미 보다 참았던 숨을 깊게 내쉰다.

속수무책으로 울음이 터져 나온다.

그런 제하의 모습에서⋯ FADE OUT.

#42. 1년 후. 준병의 가게. 안. 낮.

자막. 1년 후.

대낮에 맥주 원샷하는 재인. 떨떠름하게 보고 있는 교영.

교영	아는 선배 많아서 뭐하게. 아는 선배가 너 배역 따다 주냐?
재인	인맥 넓으면 그만큼 기회도 생기는 거지! 내가 뭐! 아무 생각도 없을까 봐!
교영	엉!!! 없을까 봐!
재인	뭐, 나 걱정해?
교영	내가 네 걱정을 왜 해. 내 걱정만으로도 벅찬데!

준병이 앞치마를 벗고, 마늘 들어있는 양푼 가지고 다가와서. 턱 내려놓고.

준병	자, 두 분 할 거 없죠?
교영	얘는 할 거 없지만 전 바쁜 사람인데요!
준병	파이팅! (휙 가는)
재인	아니 뭔. 나 집에서도 이런 거 안 하는데!
교영	그냥 해⋯ 양심이 있으면⋯ 너 여기서 진상 피운 것만 몇 번인데. (슥, 작은 칼 돌려서 건네주고)
재인	(얌전히 마늘 집어 들고 까는) 요새 되는

328

	일이 없어.
교영	좀 웃고 살아. 맨날 울상이니까 될 일도 안 되는 거야.
재인	나는 웃어서 뭐가 잘 된 적이 없는데. 웃으면 복이 온다? 복이 와야 웃지. 뭘 미리 먼저 웃어. 실없어 보이기나 하지.
교영	일단 웃음으로 스타트를 끊는 거야. 한번 해봐. (씨익)
재인	(콱 째려보다 마지못해 입꼬리 씰룩) …
교영	이제 좀 봐줄만 하네. (웃는)

#43. 미선의 카페 안. 낮.

미선, 커피를 내리고 있는데 앞에서 기다리고 있던 손님이
계산대 쪽에 붙어있는 다음과 교영의 사진을 본다.

손님	어머, 너무 예쁘다.
미선	어? 아~ 이쁘죠?
손님	딸들이에요?
미선	(환하게 웃고) 닮았죠. 내 딸들이에요. 애는 다음이. 배우예요. 애는 교영이. 피디예요.
손님	배우?

미선이 벽면에 포스터를 가리키는데, 〈하얀 사랑〉이다.
손님이 포스터 속 다음을 보고 사진을 다시 보고, 뭔가…
아차 싶은.   329

손님	아…

미선, 아무렇지 않게 포스터 속 다음을 보고 미소 짓는.

#44. 비욘드엔터. 고대표 사무실 안. 낮.

쌓여있는 영화 드라마 기획안들을 신경질적으로 팍팍
내려놓으면서.

고대표	(하나 내려놓고) 이건 왜 싫어. 네가 완전 원탑인데! 너 혼자 다 끌어갈 수 있는 건데!
서영	나 혼자 끌고 가면 뭔 재미야… 재미없어.
고대표	(또 내려놓고) 그래, 이건 둘이 끌어간다. 이건 어때.
서영	별로…
고대표	어우 그럼 뭐! 뭐가 하고 싶은데!
서영	(가방에서 유홍의 시나리오를 꺼내 놓는다) 나 이거.
고대표	(들어서 후루룩 넘겨보는) 뭐야. 그렇고 그런 멜로네. 제목이… 웃겨서 못 해? 웃겨서 뭘 못 하는데.
서영	봐 봐요. 되게 웃겨요.
고대표	(다시 표지 보는, 감독 각본 유홍) 너 지금 이 대감독들 시나리오는 거들떠도 안 보고 겨우… 이거?
민희	(능숙하게) 대표님, 요거 부필름에서 만드는 기대작이래요.
고대표	하아…
서영	우리 부대표 덕에 얼마 벌었지?
민희	〈하얀 사랑〉 800만에… 우리 투자비율 곱해보면…

330

고대표	(쩝, 신경질 나고) 됐고 이건 주인공이지?
서영	(치워져 있는 시나리오 중에 하나 골라서)
	주인공은 이거. (유홍 시나리오 손 갖다 대고)
	이건 특별출연. 대표님 원하는 거 하나. 내가
	원하는 거 하나. 사이좋게. 평화롭게. 오케이?

이마 짚고 넘어가려는 고대표. 싱글싱글 웃으며 약 올리는 서영.
적당한 투닥거림. 둘의 모습…

#45. 승원의 새 사무실 안. 낮.

새롭게 단장한 승원의 새 사무실. 짐 정리가 덜 된 채로
어수선한 분위기.
소파가 아직 들어오지 않아 텅 비어있는 한가운데 스툴을
두고 마주 앉은 두 사람.
승원과 유홍이다.

승원	답답하네 진짜. 채서영이 도와준다는데 왜
	기어코 그 패를 특별출연에다 쓰느냐고. 통
	크게 도와준다잖아 감독님아!
유홍	뭐 어떡해요. 안 어울리는데.
승원	(문득 이상함을 느끼고) 아, 나 이거 느낌
	온다. 여기서 내가 삼십 분 정도 더 쏟아내고,
	혼자서 열 받고, 주인공은 신인 개 쓸 거고,
	채서영은 그대로 특출로 부를 거지?
유홍	(끄덕끄덕)
승원	(같이 끄덕) 어, 맞네 이거. 이제하한테
	이상한 것만 배워가지고… 유감독은 알지?
	이제 얘기 좀 해주지. 이감독 어디서 뭐해?

331

유홍   (딴청) 글쎄요~ 잘 모르겠네요~

#46. 다른 날. 한국대병원 병실 안. 낮.

환자가 정효에게 인사하고, 미소 지으며 나가는 정효, 아차
싶어 시계를 본다.
서두른다.

#47. 한국대병원 병동. 낮.

서둘러 복도를 뛰어가는 정효.
스테이션에서 간호사들과 얘기 중이던 민석이 놀라서 보고.

민석   교수님! 또 가요?
정효   어. 먼저 갈게.
민석   나도 좀 데리구 가시죠 왜!
정효   고생들 해요.

간호사들 흐뭇하게 바라보고.

간호사1   오늘이 그 날이죠? 한 달에 한 번씩 꼭
           가시는.
민석   (흐뭇하게 웃으며 차트 보고) 맞아요. 되게
           신나신 것 같죠?
간호사2   (신입 느낌) 에? 저게 신나신 거라구요?
민석   네~ 무진장 신나신 모습이에요.

332

#48. 아트시네마. 낮.

아트시네마 로비.
한쪽에 옛날 〈하얀 사랑〉 포스터가 보인다.

각본/감독 이두영이라고 되어 있던 포스터 크레딧이
각본 유은애, 감독 이두영으로 바뀌어 있고.
한쪽에 현철의 사인이 들어간 사진과 함께 **'배우 김현철을
추모하며… 그가 남긴 위대한 연기와 함께, 우리 기억 속에
영원히.'**라는 글귀가 적혀있다.
뒷짐을 지고 영화관 곳곳을 구경하는 정효. 손가락도 까딱까딱.
그때, 다급하게 뛰어온 제하가 문을 열고 들어온다.
정효, 인기척에 제하를 돌아보는.
제하, 환하게 웃는다.
상영표에 적힌 영화 목록들을 훑어보는 제하.

제하	오늘은 이 영화 어때세요?
정효	그건 저번 주에 봤어.
제하	누구랑요?
정효	누구랑은, 혼자 봤지.
제하	혼자 영화 안 보시잖아요.
정효	누가 훈련을 하도 시켜서, 영화 보는 재미가 생겼어.
제하	그럼, 다른 거 봐요.
정효	(대답 없이 웃음만…)
제하	오늘은 뭘 볼까요.
정효	…이제 영화 혼자 잘 봐.
제하	…
정효	이감독이 같이 안 봐줘도 이제 괜찮아.
제하	… 오늘만 같이 봐요.

333

#49. 아트시네마. 상영관 안. 낮.
상영관 좌석엔 제하와 정효 외에 두 세 팀 정도 앉아 있고.

영화가 시작되고, 푹 빠져서 영화를 재밌게 보는 두 남자의
모습…

#50. 거실 세트장 안. 낮.

현관 앞. 나가려는 서영과 뛰어와 붙잡는 정우.

> 서영　　너 잘난 만큼 나도 잘났고, 나 구린 만큼
> 　　　　너도 구려. 너 뭔데!
>
> 정우　　내가 일부러 그랬어? 내가 너 창피해서
> 　　　　숨겼어? 그런 거 아니라고 설명했잖아!
>
> 서영　　넌 늘 악의가 없어. 그래서 나만 환장하는
> 　　　　거야. 맨날. (가려는)
>
> 정우　　(붙잡고) 가지 마.

가려고 붙잡은 현관문을 놓고 대뜸 정우의 얼굴을 잡고
키스를 퍼붓는 서영.
컷- 소리. 집 세트장. 조명팀 조명 수정하고.

> 서영　　이 영화 좀 미친 거 같아.
>
> 유홍　　(모니터에서 벌떡 일어나) 다 들려요.
>
> 서영　　아니 나한테 좀 새로운 면을 발견해줄 수는
> 　　　　없어? 또 전여친이야. 또.
>
> 유홍　　선배, 진짜 리얼해. 난 또 무슨 진짜 전여친인
> 　　　　줄! (크게 웃는)

334

싸해진 분위기. 그렇다. 유홍만 모른다. 서영, 정우 벙하게
있다가 풋 웃음 터진다.

서영	쟤… 모르는 거야?
정우	아마도.
유홍	다 들린다고요. 제가 뭘 모르냐고요.

촬영팀 쪽, 철민이 카메라 설정을 보고 있는데, 뒤에서
누군가 톡톡. 돌아보면 진미다.
철민, 쳐다보면 진미가 주머니에 있던 젤리를 철민한테 슥
주고. 바로 옆 촬영팀 스태프(세컨)이 봤는데 못 본 척. 진미
수상할 정도로 어색하게 지나간다. 촬영팀 막내가 세컨에게
눈치주면, 세컨이 **"정말 모른다고 생각하시나봐…"**
철민, 진미가 건넨 젤리를 뜯어 하나 먹으려는데, 손이 쑥
들어와 하나 가져간다. 제하다.

철민	어?
제하	오랜만이에요.
철민	(서운해서) …뭐야 진짜.
제하	아우. 너무 달다. 이거.

유홍, 모니터로 플레이백해서 보고 있다. 테이블 위로
포도주스 상자를 내려놓는 제하.

유홍	(헤드셋 벗고) 감독님…
제하	어때. 맘에 들어 감독님?
유홍	이씨… 결국 올 거면서… 맨날 튕기고!
제하	(다가오는 서영 정우 보고 손인사) 배우

335

뺏어가 스탭 뺏어가 네가 다 뺏어갔잖아. 그
꼴을 어떻게 보냐.

승원도 다가오는.

승원	이야··· 이게 누구야. 너 누구야?
제하	미안해.
승원	나 너 때문에 돌아버릴··· 여기서 할 얘긴 아니고. 나와 임마.

#51. 세트장 앞 일각. 낮.

어두운 세트장 뒤편을 걸어 나오며 대화하는 제하와 승원.

승원	(꾹 참고) 어떻게 지냈어.
제하	그냥. 평범하게.
승원	이게 또 사람 딸깍하게 만드네. 어떤 평범한 사람이 일 년 동안 잠수를 타! 나 네 잠수에 트라우마 있는 사람이야. 놀랬다고 새끼야. 또 어디 꽁꽁 처박혀서 옛날처럼···
제하	메일 보내놨어.
승원	(걷다 뚝 멈춰서) 뭐? 뭔 메일.
제하	(돌아보고) 감독이 메일 보낸 게 무슨 메일이겠어. 안부 메일 썼을까?
승원	뭐··· 썼어? 너 뭐 쓰고 있었어?
제하	말했잖아. 평범하게 지냈다고. 영화감독이 일 년 동안 시나리오 쓴 게 이상해? 일 년이면 빨리 쓴 거지.

336

안쪽에서 서영이 다가온다.

승원	일단 너 내 전화 받어! 서영 씨 와줘서 너무

고마워.

서영　　에헤이. 우리 사이에.

승원, 웃으며 다시 안쪽으로 들어가고, 서영, 제하에게
다가온다.

제하　　잘 지냈어?

서영　　잘 지냈지.

제하　　(옅게 웃고) 잠깐 본 건데도 분위기 좋던데.

서영　　응. 좋아. 그리웠어 이 분위기.

제하　　나 어떻게 지냈는지는 안 물어봐?

서영　　(한참 보다, 이제야 웃으며 돌려주는) 잘
　　　　지내길 바랐지.

제하　　(웃는다) 유홍 너무 기 살려주지 말고.

멀리서, 서영 선배님- 부르는 소리가 들리고.

서영　　…그럼 잘 가. 감독님.

제하, 웃으며 돌아선다.
어두운 세트장 문을 열고서 나오면, 환한 햇빛이 쏟아진다.
바깥을 나온 제하. 백팩 척 걸쳐 메고 옅은 미소를 지으며
걸어간다.

#52. 다른 날. 제하의 오피스텔. 낮.　　　　　　　　337
오피스텔 1층 관리사무소 문을 열고 들어온 제하.

제하　　소장님. 여기 끌차 좀 빌릴 수 있을까요?

소장	뭐 짐 옮기세요?
제하	이사 가요.
소장	어, 나가시는구나. 잠시만요. (둘러보다) 어디 갔지. 아, 정원 한번 가보실래요? 거기 두고 왔는데.
제하	네. 수고하세요.

#53. 제하의 오피스텔 정원. 낮.

중정으로 나오는 제하.
주변을 살피다 끌차를 발견하고 끌고 문 쪽으로 향하는데…
가려다 말고 돌아서 주변을 훑어본다.

INS. 4부 59씬.

– 비 맞으며 신나게 뛰어다니던 제하와 다음.

– 다음이 제하를 끌어당겨 입 맞추던 두 사람의 시간들.

선명히 기억나는 그때의 순간들.

#54. 도로 위. 포터 트럭 안. / 정릉 집. 낮.

포터 트럭을 운전하는 준병. 조수석엔 제하가 있다.
준병의 전화벨이 울리고, 받는.

준병	어. 자기야.
유홍	언제 와~ 주인 없는 집에 나 혼자 있어.
준병	형이 늦었어. 난 잘못 없어.
유홍	감독님! 빨리 빨리 좀 와요.
제하	아유. 미안합니다. 금방 도착합니다. 감독님.
유홍	자기 청소용품 챙겼어?

338

<table>
<tr><td>준병</td><td>아! 맞다! 사가지고 들어갈게. 좀만 기다려~
금방 가께~</td></tr>
</table>

끊고. 어이없다는 듯이 준병을 쳐다보고. 준병, 시선 느껴져
괜히 창문 내리는.

<table>
<tr><td>준병</td><td>형, 봄바람 좀 느껴. 고만 쳐다보고 밖에 좀 봐.</td></tr>
</table>

제하, 물끄러미 창밖을 본다. 완연한 봄 날씨. 포근한
봄바람을 느껴보는.

#55. 정릉 동네. 도로 일각. 낮.
이삿짐이 실린 포터 트럭이 정릉 집 앞 골목에 들어선다.

#56. 정릉 집 안. 낮.
이전 집의 물건들이 많이 정리되어 없어진. 제하의 풀지 않은
이삿짐이 잔뜩 쌓인 거실.
한가운데에 철푸덕 앉아 중국음식 신문지 위에 깔아놓고
먹는 유홍과 준병, 제하.
은근 알콩달콩한 준병과 유홍을 귀엽게 보는 제하.

<table>
<tr><td>제하</td><td>그렇게 감독 안 한다더니. 데뷔를 엄청
화려하게 한다. 부럽게.</td></tr>
<tr><td>유홍</td><td>이게 다 감독님이랑 다음 씨 때문이지!</td></tr>
<tr><td>제하</td><td>왜?</td></tr>
<tr><td>유홍</td><td>〈하얀 사랑〉. 첨엔 감독님이 궁금해서
호기심에 시작했는데, 중간에 괜히 했다 싶을
때도 있었어요. 절대 끝까지 완성 못 할 줄</td></tr>
</table>

339

알았거든요.

제하   (피식 웃고) 근데.

유홍   근데… 다 버리고, 다 내던지고, 서로를
       믿고 절대 못 할 것 같았던 영화를 끝까지
       완성하더라구요. 영화 왜 하나 했는데…
       이래서 하는 거구나. 살면서 이런 영화
       하나쯤 만들어봐야겠다. 다음 씨처럼,
       감독님처럼 부딪쳐봐야겠다. 뭐 그런 맘을
       먹었죠. 뻔하죠 뭐. (머쓱해서 웃는)

준병   …진짜 멋있지 않냐 형. 내가 이래서 좋아해.

제하   그래서 해보니까 어때? 할 만해?

유홍   (미소가 사그라지고) 할 만해? 미치겠어요…
       (다시 웃고) 너어어어어무 좋아!!

#57. 정릉 집 제하의 방 안. 낮.

짐 풀고 있는 제하. 방 문 빼꼼 여는 준병과 유홍.

준병   형, 우리 갈게.

제하   (일어서는) 어, 그래 안 도와줘도 된다니까
       굳이…

INS. 8부 41씬.

다음   우리 오늘 같이 다녀요!

제하   굳이…

다음   굳이? 나 굳이라는 말 제일 싫어해. 굳이 같이
       갈 수 있죠!

제하   (다음이 생각난다) 굳이 도와줘서 고맙다.

340

유홍	감독님. 저 공짜로 온 거 아니에요. 현장 좀 자주 놀러 와요.
제하	한 번 갔음 됐지.
준병	아 맞다. 형, 우리 다음 주에 다음이 보러 갈 건데 같이 가자.
제하	응?
준병	유은애 작가님 특별전! 담주 토요일에 개막작으로 형이랑 다음이가 만든 〈하얀 사랑〉 상영해. 같이 가~ 아, 그리고 이거.

준병, 제하에게 작은 상자를 전해준다.

준병	교영 씨가 전해 달래. 자기도 부탁받은 거래.

CUT TO.
문 앞까지 배웅하고. 준병과 유홍 가고 썰렁해진 집 안.
다시 방 안으로 들어가는데 발에 무언가 채이고. 보면,
박스다. 정리하려 열어보는데,
그 안에 들어있는 〈하얀 사랑〉의 시나리오. 꺼내서 후루룩
훑어보는데, 그 사이 툭 끼워져 있는 다음의 포스트잇.
[사랑인지 아닌지…], 또 후루룩 넘기면 다음과 찍었던 사진.
다음과 결말을 바꾸며 붙여 놓았던 각종 포스트잇. 옅게
웃으며 시나리오를 덮고.

다른 물건들을 살펴보려는데, 다음의 캠코더가 있다.   341
천천히 꺼내 오랜만에 만져본다. 다음이 늘 들고 다니던,
손길이 묻어있는 캠코더.
그러다 준병이 전해준 상자를 보고… 열어본다.

풍실한 포장재 위에 덩그러니 있는 6미리 테이프.

CUT TO.
제하, 준병이 준 6미리 테이프를 다음의 캠코더에 넣고
재생한다. 병실에서 찍은 짧은 비디오. 다음이 화면에
나온다. 33씬에 교영과 후다닥 찍던… 보자마자 심장이
쿵하고 내려앉는 제하. 본다.

다음	나 감독님한테 하고 싶은 말 있는데… 그냥 하면 감독님이 까먹을까 봐, 이렇게 거창하게 카메라까지 켰어요. 감독님, 알죠? 사람은 다 죽어. 뭐 나만 죽나? (웃고) 우리… 잠깐 떨어져 있는 거라고 생각해요. 왜냐면 우린 다 만나게 되어있거든요. 다만 떨어져 있는 그 시간들이 감독님도 겪어봐서 알겠지만 되게 아프고 더 선명해지고 그 끝을 알 수 없다는 거. 우린 그거 뭔지 알잖아요. 밥도 잘 챙겨 먹고, 재밌는 시나리오도 쓰고, 다음 영화도 만들면서 그렇게 잘 지내다가… 내가 많이 보고 싶은 그런 날이 찾아오면… 그때 내 생각을 실컷 해줘요. 내가 얼마나 골 때리는 애였는지 (웃고) 음… 또 우리가 얼마나 뜨거운 사랑을 했는지 (웃는) 생각하고 또 생각해 줘요. 그거… 다 느껴진대요. 내가 다 느낄 거예요. 그러니까 나한테 닿을 만큼 실컷 슬퍼해 줘요. 나도 잘 있다가 가끔 그 마음이 느껴질 때 감독님 생각할게. 그럼 감독님도 내가 느껴질

거야. 자, 마지막 선물. 미모 감상. (눈물 젖은
눈이지만 한껏 쨍하게, 밝게 웃는다)

제하는 한동안 그 자리에서 다음의 영상을 가만히 쭉 본다.
점점 차오르는 감정들, 너무 보고 싶고, 너무 그립다.
제하, 화면 속 다음이처럼 밝게 웃는데, 눈에는 눈물이 그렁하다.

#58. 반계리 은행나무. 낮.
제하, 주연배우로 보이는 남자에게 다가가면, 배우가 어두운
표정으로.

배우   제가 정말 이 여잘 사랑하는 걸까요? 사실
          확신이 잘 안 서요. 순간의 분위기에 취해서
          나왔던 감정 같기도 하고… 뭔가 딱 분명한
          시작 포인트가 있어야 될 것 같은데.

INS. 4부 34씬.
제하   규원이가 현상이를 왜 사랑해야 되죠? 사랑할
          이유가 없는데.
다음   …사랑에 필요가 왜 나오는질 모르겠네.

제하, 순간 다음이 했던 말이 생각나 웃고.

배우   (의아하게) 감독님?
제하   사랑을 꼭 확신으로 시작할 필요는   343
          없잖아요.
배우   그럼 뭐로 시작하는데요?
제하   이게 사랑인지 아닌지 헷갈리면 헷갈리는 대로

	스며드는 거 아닐까요?
배우	?
제하	사랑하면 …온몸의 세포가 알잖아요. 그게 사랑이라는 걸.
배우	그건… 그렇죠. 멜로 감독이라 그런가 이쪽으론 전문가네.
제하	내가요? 아닌데. 나 잘 몰라요.
배우	(웃고) 아, 어떤 느낌으로 표현해야 될까…
제하	한번 편하게 가 봐요. 그러고서, 다시 얘기해도 좋고요.
배우	네, 고마워요. 감독님.

제하, 모니터 앞으로 다시 돌아오는데… 빗방울이 한두 방울.
툭, 툭 조금씩 떨어진다.
하늘은 분명 맑게 개어있는데 내리는 비, 여우비다. 햇빛에
반사되어 반짝이는 맑은 비.
옆에서 같이 확인하는 승원의 표정이 어둡다.

제하	형. 고비가 또 왔다. 그치?
승원	어쩐지 순조롭다 했다. 촬영 접어야겠는데.
제하	(한참을 바라보다가) 아니, 그냥 가보자.
승원	(화색) 오케이.

급하게 우천 촬영 준비를 하는 스태프들의 모습.
344 갑작스런 여우비에 시끌벅적하지만, 밝은 분위기의 현장.
제하, 헤드셋을 쓰고 모니터 속으로 빠져 들어갈 것처럼
집중하는 모습.

#59. 반계리 은행나무. 낮.

비가 그쳤다. 촬영 중 찾아온 쉬는 시간.
피로에 기지개를 켜며 주변을 둘러보다 어떤 뒷모습을 보는
제하. 가슴이 쿵 내려앉는다. 홀린 듯 갑작스레 따라간다.
1부 3씬과 같은 상황.
다음을 닮은 듯한 사람을 발견하고 이리저리 찾아다니는 제하.
분명 다음인 것 같아 뛰고 또 뛰고, 돌아보고, 또 돌아보는.
이때, 다음이 뒤에서 나타나 제하의 손을 살며시 잡는다.
인기척에 올려다보면 다음이 맞다.

> 다음(NA) 영화의 끝에는 함께 했던 모든 이들의 이름을
>   따뜻하게 읊어주는 시간이 있다.

INS. 10부 66씬. 정릉 집에 모두 모여 다음을 반겨주는
       스태프들의 모습.
INS. 12부 19씬 후속 상황, 현장에 〈하얀 사랑〉에 참여한 모든
       이들이 바다를 배경으로 단체 사진을 찍는 모습, 다음이
       캠코더로 사람들과 웃으며 영상을 남기는 모습.

> 제하(NA) 그 따스한 마지막 순간이 오기까지, 영화는
>   인생처럼 엔딩을 향해서 쉴 새 없이 달려간다.

INS. 1부 62씬. 시한부라 소개하며 손을 내민 다음과 그 손을
       잡은 제하.

345

> 다음(NA) 그리고 또 어떤 인생은
> 제하(NA) 엔딩이라고 생각한 그 순간으로부터 시작일
>   때가 있다.

다음이 제하의 손을 더 꼬옥 쥐는. 손에서 다음으로 시선을
옮기는 제하.
서로를 바라본다. 보고 싶었던 얼굴.
그 마음을 다 알고 있었다는 듯 제하를 애틋하게 바라보는 다음.

> 제하   보고 싶어.
> 다음   응. 느껴진다.

서로를 바라보고 웃는 제하와 다음…
그 모습에서 멀어지고… 화면 암전 되며 타이틀 뜬다.

- 〈우리영화〉 -

끝.

346

작가 코멘터리

다음이가 마음을 고백합니다. 많이 고민했습니다.
타인들의 시선에선 다음이가 이기적으로 보일 수 있다는
걸 알았습니다. 그래서 보는 사람들로 하여금 다음이가
불편해 보일 수도 있을 거라는 두려움도 있었습니다. 하지만
마음이 그쪽으로 자꾸만 기웁니다. 다음이가 한 번만 온전히
사랑했으면. 눈치 보지 말고 자기만 생각했으면. 피할 수
없는 현실을 눈 딱 감고 잠시만 까먹었으면. 사는 내내 아픈
자신을 돌보는 이들에게 미안해하면서 살았던 다음이가
이번 한 번만 용기를 냈으면. 그 마음이 제하에게 닿았으면.
그래서 흔들렸으면 했습니다. 그래서 차가운 겉모습에
연약함을 숨겨 온 제하가 다음이를 보면서 스스로에게
부끄러움을 느꼈으면 했습니다. 그런 영화 같은 순간이
이들에게 찾아오길 바랐습니다.

끝을 다 알면서 이제하 네가 정말 그럴 수 있을까?
그 뒤에 서영이가 삼킨 말은 '그럴 수 있는 사람이었으면서
나한테는 왜…'였습니다.

351

은애의 영화를 물려받은 제하에게 긴 시간 품고 살던
이야기를 전해 준 진여. 진여는 제하의 옆에 있는 다음이를
바라봅니다. 그리고 손을 잡아 줍니다. '다음'이라는 빛나는
이름을 가진, 이 예쁜 여자와 함께 있는 제하를 봅니다.
진여가 해 줄 수 있는 건 손을 잡아 주는 것뿐입니다. 제하도
진여가 다음이의 손을 잡아주는 것이 좋습니다. 이 씬에는
많은 마음이 담겨있다고 생각합니다. 그래서 좋아합니다.

예전에 써 둔 시놉시스에서 유일하게 살아남은 씬입니다.
이 드라마의 첫 씬을 쓸 때 함께 생각해 둔 결말입니다.
정말 뻔한 결말이라고 생각했습니다. 다음이가 아직 살아
있는 것처럼 둘이 함께 완성된 〈하얀 사랑〉을 보는 장면.
하지만 장면 전환과 함께 사실은 다음이가 떠나고 제하가
혼자 남겨져 영화를 보고 있는. 아주 많이 울고 있는. 12부
초고를 쓸 때 같은 장면이긴 하지만 많이 달라져 있었습니다.
엔딩 크레딧에 원작 유은애, 각색 이다음. 이 두 사람의

이름이 실립니다. 이정흠 감독님과 함께 만들어 갔기에
다채롭고 의미 있게 확장될 수 있었습니다. 그리고
이 장면에서 제하가 다음이를 어떻게 떠올릴지, 영화관을
나와서 포스터를 바라볼 때 어떤 표정을 지을지
궁금했습니다. 가늠하기 어려웠습니다. 대본에는 눈물을
흘린다고 써 두었지만 어디까지나 이 씬은 배우의 것이라고
생각했습니다. 제하가 눈물을 흘릴지, 참을지. 어떤
눈빛일지… 12화의 이 장면이 〈우리영화〉에서 가장 '우리
영화'다운, 우리 드라마다운 장면이라고 생각합니다. 아,
이 드라마가 이렇게 만들어질 수 있구나. 참 선물 같은
장면입니다.

356

우리영화를 완성한 말들
작가 Pick 명대사

"의사예요? 아니면, 간호사?"

"아뇨. 자문을 맡을 시한부 이다음이라고 합니다."

"죽으면. 찍다가 죽으면 어떡할 건데요?"

"누가요?"

"그쪽이."

360

"근데… 알맹이가 안 보여요.
제일 중요한 게 비어 있다고 생각해요."

"설마 사랑?"

"무조건 사랑이죠. 사랑이라는 근간을 흔들어놓는 건
리메이크의 이유까지도 없애버리는 것 같아서
걸리던데요."

"잘했다고, 잘하고 오라고 두 마디만 해주라."

"…잘했어. 잘하고 와."

364

365

"감독님. 아파도 영화도 보고,
오디션도 보고, 사랑도 해요.
영화도 찍을 수 있어요."

"난 죽지 않을 테니까, 감독님은 영화 망치지 마요."

"병원에 있다 보면, 견디기 힘든 날이 찾아와요.
그럴 때마다 여기 이렇게 서서 바깥을 봤어요…
이 유리창 하나 사이로 삶이 이렇게나 다를 수 있구나…"

"영화 속 규원이가 세상을 내려다볼 때,
세상에 속해 있는 어떤 사람이 지나가다
문득, 건물을 올려다보고 규원이를 향해 웃어주는 거죠.
그럼 어떻게 되는지 알아요?"

"어떻게 되는데?"

"규원이는 무너질 거예요. 너무… 살고 싶어서.
그런데 죽음이… 자꾸만 따라붙으니까…
그게 내 운명이라면, 오케이. 알겠는데,
나도 좀 즐기자 하곤 죽음을 따돌릴 거예요.
그 순간이 아주 짧더라도."

370

"이건 비밀인데,
내가 잘 몰라서 이 영화를 만드는 거예요."

"뭘 몰라요?"

"사랑한다는 게 뭔지."

372

373

"규원이는 알려주고 싶을 것 같아요. 이 남자한테.
사랑 같은 거, 희망 같은 거 부질없다고 생각하는 이 남자한테,
봐. 느껴지지? 시작된 거야. 하고."

374

"웃기죠. 내 주제에.
어쩌자고, 할 수 있는 것도 없는 게. 곧 죽을 게."

"할 수 있는 게 왜 없어요.
이다음 씨는 다 할 수 있는 사람이라니까."

"안 이상해요. 이다음 씨 안 이상해요."

"나는 여전히 변하지 못하겠습니다.
단 하루라도 다음이가 살아 있었으면… 좋겠습니다.
압니다. 내 욕심인 거. 하지만…
어떤 모습이어도 좋으니 살아만 준다면… 좋겠습니다."

"이다음 배우가 이 씬 하나로 이 영화의 제작 결정을
따냈습니다. 전 이다음 씨가 어떤 모습들이 있는지
다 알지 못합니다. 저한테는 오직 배우입니다.
함께 영화를 완성하고 싶은, 좋은 배우입니다.
저와 이다음 배우의 최선은…
영화로 보여 드리겠습니다."

381

"인간 이제하는 어때요?
끝을 알면서도 사랑할 수 있어요?"

"잘은 모르지만, 사랑한다는 게…
그 정도는 돼야 사랑이겠죠."

"꼭 지문대로 할 필요는 없어요.
그러니까 규원이가 스스로 자신에게 남은 시간을
쓰러 가는 거지, 포기하러 가는 게 아니잖아요.
아파도 뭐든 다 할 수 있다는 마음… 그 마음 알죠?"

384

"나는 남들처럼 살고 싶었어요. 죽는다는 거 빼곤,
남들이랑 너무 달라. 고생길도 없고 비포장도로도 없었어.
죽을 애니까, 딱한 애니까, 엄마도 없고 외로울 테니까.
그러면서 다들 날 보호해 줬어.
근데 난 그렇게 안전하게만 살고 싶은 생각 없었거든요."

"그럼 어떻게 살고 싶은데요?"

"더 슬퍼하면서 살고 싶어. 더 상처받고 싶어.
다들 이런 거 살면서 자연스럽게 겪게 되겠지만
나는 못 해봤어. 말했잖아요. 아쉬운 맘 그거…
사람 돌게 만든다고."

386

387

"난 지금.
내 앞에 있는 다음 씨랑 그게 뭐든 함께 겪을 거예요."

"엄마 알아. 다음이가 보고 싶어 한 거.
슬퍼하는 거. 다 느껴져."

"다 느껴져?"

"다. 전부 다."

390

"보고 싶어."

"응. 느껴진다."

392

393

우리영화를 완성한 말들

〈하얀 사랑〉
시나리오

118. 해안 (석양)

모래사장에 앉아 파도가 끊임없이 부딪히고 다시 생기는
것을 바라보는 규원. 병색이 완연하다. 죽음이… 다가오고
있다. 그러나 이 자리에서 여전히 홀로 현상을 기다리고 있다.

> 규원   나두 이렇게 부서지고 다시 생기고,
>   다시 부서지고 다시 생겼으면… 좋겠다.

모래 바닥에 폭 쓰러지는 규원. 눈을 천천히 떠 하늘의
따가운 볕을 간신히 본다. 그러다, 서서히 눈이 감긴다.
이윽고 쏴– 하는 파도 소리만 계속해서… 부서지고 다시
생기는 파도 소리만…

119. 정화의 차 안–서해 해안도로 (석양)

같은 시각, 해는 규원이 있는 삼척보다 훨씬 더 져있고…
정화의 오픈카를 현상이 운전하고 있다. 정화, 뻥 뚫려있는
하늘을 향해 손을 뻗은 채로 환호하고.

> 정화   좋다. (현상 보고)
>   웬일이야? 요 며칠 다 죽어가는 사람처럼
>   굴더니
> 현상   서울, 다시 오니까 다 좋은데… 좀 답답해.
>   그냥, 오랜만에 콧바람이나 좀 쐬자고.
> 정화   나야 너무 좋지. 이러니까 꼭 우리, 옛날 같네.
>   (운전하는 현상에게 기대며) 오늘… 자고 가자.

395

〈하얀 사랑〉 시나리오

현상	잘 시간이 되려나 모르겠네.
	(차 지붕을 닫으며 갑자기 급 가속하는)
정화	현상, 현상씨? 뭐야 왜 그래!
	뭐해 미쳤어?! 줄여!!!

대답 없이 계속해서 속도를 높이는 현상. 정화가 소스라치게
놀라며 몸을 뗀다. 계속해서 비명을 지르는 그때…

현상	지겹다… 이제… 그만하자. 너랑 나

핸들을 해안 쪽으로 확 꺾어버리는 현상. 둘이 탄 정화의
오픈카가 해안 절벽에 여러 번 부딪히며 바다 속으로
빠지며… 그들을 비추고 있던 해도 수평선 너머로 져버리고
만다. 물속으로 가라앉는 차… 가라앉는 와중에 죽어가는
제하의 혼탁한 동공을 끝으로… 엔딩.

제하와 다음이 수정한 엔딩 장면

117. 해안 근처 (석양)

계속해서 규원을 찾아 헤매는 현상. 소리 높여 규원의
이름을 외치며 다니지만, 보이지 않고…

> **현상**　　규원아! 이규원!!!!!!

파도와 가까워진 현상, 계속해서 규원을 찾아 두리번거린다.
그때, 해안가 저 멀리서 규원의 형체가 어렴풋이 보이고…!

118. 해안 (석양)

모래사장에 앉아 파도가 끊임없이 부딪히고 다시 생기는
것을 바라보는 규원. 병색이 완연하다. 죽음이… 다가오고
있다. 그러나 이 자리에서 여전히 홀로 현상을 기다리고 있다.

> **규원**　　나두 이렇게 부서지고 다시 생기고,
> 　　　　　다시 부서지고 다시 생겼으면… 좋겠다.

모래 바닥에 폭 쓰러지는 규원. 눈을 천천히 떠 하늘의
따가운 볕을 간신히 본다. 그러다, 서서히 눈이 감긴다.
이윽고 쏴– 하는 파도 소리만 계속해서… 부서지고 다시
생기는 파도 소리만… 그때 현상이 다가오고…!

397

> **현상**　　(흐느끼며)
> 　　　　　규원아, 규원아…
> **규원**　　(들릴 듯 말 듯, 희미한 입 모양으로)

〈하얀 사랑〉 시나리오

	올 거면서…
현상	나 왔어… 나 여기 있어…
	죽지 마…
	가지 마 규원아…
규원	(현상의 뺨을 힘겹게 가까스로 어루만지고)
	사랑하는구나…
현상	사랑해…

수평선 너머로 해가 점점 지고 있고… 현상에게 안겨 있는
규원. 점점 의식이 흐려지는 듯 눈빛이 힘을 잃어가고… 끝내
현상의 품에서 숨을 거둔다.
파도가 계속해서 밀려오고… 현상은 규원을 꼭 끌어안은 채
가만히 눈을 감는다.
수평선 너머로 넘어가기 직전의 붉은 석양이 두 사람의
뒷모습을 감싼다. 엔딩.

119. 서점 앞 (새벽)

눈이 오는 서점 마당. 두꺼운 외투를 껴입은 현상이
빗자루를 들고나와 서점 앞의 마당과 길가의 쌓인 눈들을
계속해서 쓸고 있다. 추위에 볼이 시린지 장갑 낀 손을
얼굴에 갖다 대고 입김을 불어 넣는 현상. 손을 내밀어 잠시
동안 손바닥 위에 쌓이는 눈들을 지켜본다…

120. 서점 안 (아침)

눈이 그치고, 햇살이 서점을 비춘다. 동네에서 규원의 서점
앞만 현상이 눈을 쓸어놓은 덕인지 정갈하게 치워져있다.
현상은 새로 들어온 책들을 카트에 담아 자리들을 찾아가며
정리하기에 여념이 없고, 그때 첫 손님이 들어온다. 문에

398

달린 종소리.

현상, 그 찰나의 순간에 그 사람이 규원일 것 같은 마음이
든다.

하던 일을 멈추고 돌아 보면, 역시나 규원이 아니다.

이내 밝은 표정으로.

현상   아, 어서 오세요. 이규원 책방입니다.

                (웃으며) 혹시나 도움 필요하시면… 말씀하세요.

399

우리영화: 한가은·강경민 대본집 2
Our movie Screenplay 2

초판 1쇄 발행일 2025년 12월 15일

제공   STUDIO S
펴낸곳   플레인아카이브

지은이   한가은 강경민

펴낸이   백준오
편집   장지선
교정   이보람 장지선
디자인   studio ALT
스틸   스튜디오 다운 — 이지윤
인쇄   세걸음
도움 주신 분 이정흠 박가람

출판등록   2017년 3월 30일 제406-2017-000039호
주소   경기도 파주시 회동길 337-16, 302호
메일   cs@plainarchive.com

22,000원
ISBN 979-11-90738-28-6(04680)
     979-11-90738-29-3(세트)